Análisis de la Inteligencia de Cristo

El Maestro del Amor

LIBRERÍAS PAULINAS

COLOMBIA

BOGOTÁ: CARRERA 16A No. 161A-04
CALLE 161A No. 15-50
A.A. 6291 PBX: 528 7444
Tels.: 670 6424
Fax: 671 0992 - 677 5159
libreriaorquideas@paulinas.org.co
ventasp@paulinas.org.co
editorial@paulinas.org.

(CENTRO) CARRERA 9 No. 13-27 / 33
Telefax: 243 2782
Directo Librería: 599 6431
centro@paulinas.org.co

CENTRO COMERCIAL CENTRO SUBA
CALLE 140 No. 91-19
Local 3-112
Tels.: 680 92 25

(SUR) CRA. 6 No. 24-75 SUR 20 DE JULIO
Tels.: 272 5666 - 239 5511
Fax: 361 1858
paulinas20dejulio@paulinas.org.co

(CHAPINERO) CALLE 63A No. 10-44
Local 101 Edificio La Isla
Tels.: 255 4632 - 310 0342
Telefax: 310 0362 - 345 2430
libreriacha@paulinas.org.co

(NORTE) CARRERA 15 No. 85-58
Tel.: 236 5263 Fax: 257 2395
libreria85@paulinas.org.co

SANTUARIO DE MONSERRATE

BARRANQUILLA (CENTRO)
CALLE 34 No. 42-28
Tel.: 340 4792 - 340 4769
Telefax: 370 6959
paulibar@epm.net.co

CARRERA 54 No. 70-121
Tel.: 360 0200 Telefax: 356 8943
paulibar@metrotel.net.co

CALI (CENTRO) CALLE 10 No. 7-53
Tel.: 896 0929 - 884 2615 Fax: 889 1035
cali@paulinas.org.co

CÚCUTA: AVENIDA 5 No. 12-65
Tels.: 571 7789 - 583 5560 Fax: 572 3389
paulicucuta@telecom.com.co

MANIZALES: (CENTRO)
CARRERA 23 No. 25-31
Tels.: 882 2540 - 882 2544
Fax: 884 2267
paulimzs@epm.net.co

MEDELLÍN: (CENTRO)
CALLE 56 (BOLIVIA) No. 49-51
PBX: 511 2046
Fax: 293 0258
paulimed@une.net.co

(EL POBLADO) CALLE 10 No. 42-28
Tel.: 266 2507
paulinaspoblado@une.net.co

PASTO: CALLE 18A No. 25-31
Pasaje Corazón de Jesús
Tel.: 729 2846
Fax: 729 2848

ECUADOR

QUITO:
SELVA ALEGRE 169 Y 10 DE AGOSTO
Tel.: 250 1656
Fax: 255 6373
fspccs46@access.net.ec

CALLE GARCÍA MORENO N6-41
ENTRE OLMEDO Y MEJÍA
FRENTE A MI COMISARIATO
Tel.: 228 2131
Telefax: 228 0949
fspccs46@access.net.ec

GUAYAQUIL:
PEDRO CARBO 203
Y VÍCTOR MANUEL RENDÓN
PB LOCAL 3
Tel.: 256 0365
Fax: 256 0768
fspccs46@access.net.ec

DISTRIBUIDORA PAULINAS

BUCARAMANGA:
Calle 35 No. 14-52
Tel.: 642 3100 - 642 3944

Augusto Jorge Cury

Análisis de la Inteligencia de Cristo

El Maestro del Amor

Paulinas

© EDITORA ACADEMIA DE INTELIGÊNCIA
2001, Augusto Jorge Cury, São Paulo, Brasil
Título original: Análise da inteligência de Cristo – O Mestre do Amor
Traducción: Padre Álvaro Jaramillo
e-mail del autor: jcury@mdbrasil.com.br

ISBN-Libro: 958-669-380-5
ISBN Colección: 958-669-302-3
Cuarta Reimpresión, 2007

© Instituto Misionero Hijas de San Pablo
Carrera 16A No. 161A-04
Calle 161A No. 15-50
PBX: 528 7444 • Tel. Ventas: 670 6424 • Fax: 671 0992
editorial@paulinas.org.co
www.paulinas.org.co
Bogotá, D.C., • Colombia

*D*edico este libro a todos aquellos
que no desisten de sí mismos
y que descubrieron que la vida
es el mayor de todos los espectálos
dado por el Autor de la existencia.

A aquellos que, inclusive con lágrimas,
buscan ansiosamente el derecho
de ser libres y felices...

Índice general

Capítulo 3
Una humanidad inigualable

Capítulo 6
La primera hora: cuidando de su Padre y perdonando a hombres indisculpables

Capítulo 7
La segunda hora: ridiculizado públicamente

Capítulo 8
La tercera hora: Cuidando de un criminal
y viviendo el mayor de los sueños

Capítulo 9
Continuación de la tercera hora:
cuidando cariñosamente de su madre

Capítulo 12
Murió en la cruz, pero permaneció vivo en el corazón de la humanidad

$\mathcal{P}$refacio

Nunca, ningún ser humano ha sido capaz de sacudir tanto los fundamentos más sólidos de las ciencias y de las instituciones humanas como Jesucristo. Sus discursos chocan contra los conceptos fundamentales de la medicina, siquiatría, física, sociología.

El padre de la medicina, Hipócrates, vivió unos siglos antes de Cristo. La medicina es una ciencia fantástica. Siempre ha utilizado los conocimientos de otras ciencias con el fin de producir técnicas para aliviar el dolor y retardar el fenómeno de la muerte. La medicina puede hacer mucho por quien está vivo, pero nada por quien está definitivamente muerto. Jesús trastornó los presupuestos de la medicina al discurrir sobre la superación del caos de la muerte y sobre la ventana de la eternidad.

Sus palabras también chocan contra la siquiatría. La siquiatría es una ciencia poética. Trata del alma, que es bella y real, pero intangible e invisible. Se propone corregir las rutas del mundo de las ideas y la aridez de la personalidad humana.

Ninguna especie es tan compleja como la nuestra y ninguna sufre tanto como ella. Millones de jóvenes y adultos adquieren conflictos y son víctimas de la depresión, la ansiedad, el estrés. Nunca la tecnología de la diversión ha sido tan grande y nunca las personas han estado tan tristes y con tanta dificultad para navegar en las aguas de la emoción.

Los medicamentos antidepresivos y tranquilizantes son excelentes armas terapéuticas, pero no tienen capacidad para llevar al ser humano a controlar sus pensamientos y emociones. La siquiatría enfoca su saber en el ser humano enfermo, pero no sabe cómo hacerlo feliz, seguro, sabio, sereno.

Jesucristo habló sobre algo que la siquiatría sueña pero no logra. Convidó categóricamente a las personas a beber de su felicidad, tranquilidad y sabiduría. ¿Quién tiene la audacia de hacer esa invitación a sus íntimos? Las personas más tranquilas pierden el control en los focos de tensión.

Sus palabras y gestos son capaces de chocar también contra la sociología. En el auge de su fama, se inclinó ante los pies de sencillos galileos y los lavó, invirtiendo los papeles sociales: el mayor debe ser aquel que sirve y honra a los más pequeños. Sus gestos premeditados fueron registrados en las matrices de la memoria de sus incultos discípulos, llevándolos a aprender lecciones que reyes, políticos y poderosos no han aprendido.

También hizo gestos que sacuden los fundamentos de la física, la química y las ciencias políticas. La educación tampoco pasó incólume ante ese gran maestro. Su sicopedagogía no solamente es actual, sino revolucionaria. Transformó personas incultas, ansiosas e intolerantes en la más fina estirpe de pensadores. ¿Quién es ese hombre que fue ignorado por la ciencia pero que perturbó sus fundamentos?

Ahora, en este libro, estudiaremos sus últimas horas de vida. Está muriendo colgado en una cruz. Era de esperarse que esta vez no brillase con su inteligencia, que gritase desesperadamente, fuese consumido por el miedo, derrotado por la ansiedad y reaccionase por instinto como cualquier miserable a las puertas de la muerte. Pero, herido, fue todavía más sorprendente. Sus comportamientos sacudieron una vez más la sicología.

El hombre Jesús hizo poesía en el caos. ¿Usted logra hacer poesía cuando el dolor atenaza su alma? A veces ni siquiera cuando estamos atravesando terrenos tranquilos producimos ideas poéticas.

La crucifixión de Jesucristo tal vez sea el acontecimiento más conocido por la población mundial. Pero es el menos comprendido y el más importante de la historia. Miles de millones de personas saben cómo murió, pero no tienen idea de los fenómenos complejos que estaban presentes en el palco de la cruz y, principalmente, por detrás de la cortina del escenario. Estudiar sus últimos momentos abrirá las ventanas de nuestra mente no sólo para que comprendamos mejor al más misterioso de los hombres, sino también para que sepamos quiénes somos nosotros... Al fin de cuentas, ¿quién puede explicar la vida que palpita en nosotros?

CAPÍTULO 1

Hay dos clases
de sabiduría

$\mathcal{H}$ay dos clases de sabiduría: la inferior y la superior. La sabiduría inferior es dada por todo lo que sabe una persona y la superior es dada por aquello de lo que tiene conciencia que no sabe. Los verdaderos sabios son los más convencidos de su ignorancia. Desconfíe de las personas autosuficientes. El orgullo es un golpe contra la lucidez, un atentado contra la inteligencia.

La sabiduría superior tolera; la inferior, juzga; la superior, alivia; la inferior, culpa; la superior, perdona; la inferior, condena. En la sabiduría inferior hay diplomas, en la superior nadie se diploma, no hay maestros ni doctores, todos son eternos aprendices. ¿Qué clase de sabiduría controla su vida?

Sabemos muy poco sobre la vida, sobre el Autor de la vida y sobre el más enigmático de los hombres, Jesucristo[1]. Con frecuencia me pregunto: ¿Quién es Dios? ¿Por qué se esconde detrás del velo de su creación y no se muestra sin secretos?

Innumerables personas hablan esdiariamente sobre Dios y sobre la vida, pero ¿quién es ese Dios de quien tanto hablamos? ¿Es posible discurrir con certeza sobre el Arquitecto de la vida? Hizo del ser humano su obra maestra y lo colocó en un inexplicable planeta azul.

Si Él es real, ¿por qué se esconde detrás de la cortina del tiempo? Dotó al ser humano de inteligencia. El ser humano lo busca desde los comienzos de su existencia. Construyó millares de religiones para tratar de entenderlo, escribió millones de libros, pero si fuéramos sinceros diríamos que Dios sigue siendo un gran misterio. Para resolver nuestras dudas, vino a la tierra un hombre llamado Jesús. Pero tuvo comportamientos que contrarían la lógica de nuestras ideas.

¿Por qué murió en condiciones inhumanas? ¿Por qué, cuando estaba libre, hizo milagros impresionantes, pero cuando estuvo preso no hizo nada para aliviar su dolor? ¿Por qué defendió a sus verdugos en la cruz y no reaccionó con violencia e irracionalidad?

Antes de hablar específicamente de su crucifixión, usaré los tres primeros capítulos para analizar algunas áreas fundamentales de su personalidad. Si no lo hiciera, no comprenderíamos al hombre que en el ápice del dolor tuvo reacciones capaces de quitar el aliento a cualquier investigador lúcido de la sicología, de la siquiatría y de la filosofía.

Apasionado por la especie humana

Si usted comprende algo sobre la complejidad de los fenómenos que se escenifican en el palco de nuestra mente y que construyen las ideas, descubrirá que no existen árabes o judíos, americanos o alemanes, negros o blancos; todos somos una especie única y apasionante.

El maestro de la vida, Jesucristo, era profundamente apasionado por la especie humana[2]. Daba una atención especial a cada ser humano. Los miserables eran tratados como príncipes y los príncipes, como reyes.

Por donde transitaba, se proponía abrir los portones de la mente de las personas y aumentar el campo de visibilidad sobre la vida. Su tarea no era fácil, pues las personas vivían enyesadas dentro de ellas mismas, aunque todavía hoy muchas continúen enredadas en el arte de pensar.

Parece que algunas personas son inmutables. Cometen con frecuencia los mismos errores, dan siempre las mismas respuestas para los mismos problemas, no logran dudar de sus verdades ni estar abiertas para nuevas posibilidades de pensar. Son víctimas, y no autoras, de su propia historia. ¿Usted es autor de su historia o víctima de sus problemas?

Jesús deseaba que el ser humano fuera interiormente libre, alguien capaz de ejercer con conciencia su derecho de decidir. Por eso, invitaba a las personas para que lo siguiesen. Nosotros, por el contrario, presionamos a nuestros hijos, empleados y clientes para que sigan nuestras ideas y nuestras preferencias.

El Maestro del Amor tenía mucho para enseñar a cada persona, pero nunca las presionaba para que estuviesen a sus pies escuchándolo. El amor y no el temor era el perfume que ese maestro fascinante exhalaba para atraer al ser humano y hacerlo verdaderamente libre[3].

El espectáculo de la vida...

El mundo carece de pensadores. Las sociedades necesitan personas que posean ideas innovadoras, capaces de construir para enriquecer nuestras inteligencias y cambiar las rutas de nuestras vidas.

Rara vez un político, un intelectual, o un artista tiene ideas nuevas y brillantes. No hay emoción en sus palabras. El espectáculo está en los filmes, pero no en el terreno de la realidad. Es extraño oír a personajes famosos que nos encantan con su inteligencia.

Estamos tan atareados en comprar, vender, tener, hacer, que no logramos quedar atónitos con el espectáculo de la vida ni con los secretos que lo rodean. No es frecuente que alguien haga una simple indagación filosófica como ésta: "¡Qué misterio es estar vivo y sumergido en el tiempo y en el espacio!". ¿Usted se detuvo ya para pensar que la vida que palpita en su interior es fuente insondable de enigmas? Quien dejó de preguntarse sobre los fenómenos de la existencia se jubiló en la escuela de la vida y destruyó su capacidad de aprender.

Los niños de hoy tienen más informaciones que un anciano. Los adultos están abarrotados de informaciones, pero difícilmente saben organizarlas. Saber mucho, pero pensar poco, es de poca utilidad. Muchos tienen una mente con centímetros de profundidad y kilómetros de extensión.

Sin embargo, si usted se encuentra aburrido por la carencia de pensadores en una sociedad en donde las escuelas se multiplicaron, aquí tendremos un consuelo. Estudiaremos a una persona que no solamente sorprendía a las demás, sino que las dejaba asombradas con sus pensamientos[4].

A lo largo de más de veinte años he estudiado el funcionamiento de la mente. En ese período produje, como algunos saben, una nueva teoría sobre la construcción de la inteligencia, llamada "Inteligencia Multifocal". Escribí más de tres mil páginas sobre el fantástico mundo de las ideas y de las emociones. Parece que escribí mucho, pero eso es poco delante de los secretos que nos tejen como seres que piensan.

Sin querer hacer alardes, me gustaría contar que investigué algunos fenómenos que los pensadores de la sicología, como Freud, Jung, Roger, Erich Fromm, Viktor Frankl, Piaget, no tuvieron la oportunidad de estudiar; fenómenos que están relacionados con los papeles de la memoria, con la construcción de las cadenas de pensamientos y con la formación de la compleja conciencia humana.

Mis estudios me ayudaron a analizar, aunque con limitaciones, algunas áreas de la mente insondable de Cristo: cómo dominaba sus pensamientos, protegía su emoción, superaba sus focos de tensión, abría las ventanas de su mente y daba respuestas admirables en situaciones angustiantes. Estudiar el funcionamiento de la mente humana y analizar la inteligencia del maestro de los maestros amplió mis horizontes para contemplar el espectáculo de la vida. ¿Usted logra contemplar el mundo encantador de la inteligencia humana?

Muchos no logran comprender que las personas a su alrededor son más complejas que los agujeros negros en el cielo. Cada vez que usted produce una reacción de ansiedad, experimenta un momento de inseguridad o construye un pequeño pensamiento, realiza un fenómeno más complejo que las reacciones del sol.

Incluso los niños con deficiencias mentales son tan complejos en el funcionamiento de la mente como los intelectuales. Ellos poseen intactos los fenómenos que construyen las cadenas de pensamientos. La diferencia entre ellos está solamente en la reserva de memoria que alimenta esos fenómenos. Si hubiese la posibilidad de producir una memoria auxiliar, serían intelectualmente normales.

Pocos logran percibir el privilegio de ser un ser humano, pues no logran mirar más allá de la vitrina de sus problemas y dificultades.

Jesús, un excelente utilizador del arte de la duda

Aparte de que Jesús sea el hijo de Dios, Él fue el más humano de los hombres. Fue un hombre hasta las últimas gotas de su sangre, hasta que su corazón, debilitado, dio el último latido...

A Jesús le gustaba ser un hombre y luchaba para que las personas percibiesen el valor incondicional de la vida. Por ello, procuraba desentumir la inteligencia de ellas. ¿Qué herramientas usaba?[5].

Muchos piensan que Jesús solamente hablaba sobre la fe, pero Él utilizaba una de las mejores herramientas para abrir las ventanas de la mente humana: el arte de la duda. A lo largo de mi trayectoria como investigador, percibí que el arte de la duda es una herramienta fundamental para ampliar el abanico del pensamiento. La muerte de un científico ocurre cuando deja de dudar de su conocimiento.

Dudar de mis convicciones puede fortalecerlas si ellas tienen fundamento o puede abrir nuevas posibilidades de pensamiento si ellas son frágiles y superficiales. Quien sabe utilizar el arte de la duda va al encuentro de la sabiduría superior y, por eso, siempre va a considerar todo su conocimiento como una pequeña gota en un océano.

Los jóvenes de hoy son frecuentemente autoritarios. El mundo tiene que girar en torno de sus verdades y necesidades. Por estar atiborrados de informaciones, creen que entienden de todo. Rara vez una persona adulta logra cambiar las rutas de lo que piensan y sienten. ¿Por qué? Porque no aprendieron a dudar de sí mismos, a cuestionar sus opiniones ni a ponerse en el lugar de los otros.

Las personas autoritarias excluyen de su historia el arte de la duda, por eso son incuestionables. ¿Dónde están las personas autoritarias? En todos los ambientes, hasta en los menos sospechosos, como en las universidades y en las instituciones religiosas. De cierta manera, todos tenemos las raíces inconscientes del autoritarismo.

Hace poco tiempo atendí a un excelente abogado. Lloraba mucho porque estaba deprimido y ansioso. Aparentemente era humilde y sencillo, pero por detrás de su humildad había una persona autosuficiente y casi impenetrable.

Manipulaba a sus siquiatras, dirigía su tratamiento, permanecía previendo efectos colaterales de los medicamentos que tomaba. Por consiguiente, su mejoría era fluctuante, mejoraba y recaía, pues no aprendía a controlar sus pensamientos ni a ser el autor de su propia historia. Felizmente, está comprendiendo que tiene defensas autoritarias y está reescribiendo los principales capítulos de su vida.

Una de las principales características de una persona autoritaria es que ella impone y no expone lo que piensa. ¿Cuáles son los parámetros para saber si una persona es autoritaria? Varios. Entre ellos: dificultad para reconocer errores, dificultad para aceptar críticas, defensa radical y prolija de sus ideas, dificultad para ponerse en el lugar de los demás. ¡Cuidado! Esas características no son saludables, conspiran contra la tranquilidad y el placer de vivir. Hágase un favor a usted mismo. Relájese y sea flexible.

Jesús fue la persona más flexible y abierta que yo haya analizado. Sus opositores lo ofendían drásticamente y Él no reviraba. Algunas personas, a través de su sensibilidad, lograban hacerlo cambiar de idea y Él se alegraba con ellas y hasta las elogiaba. Ese fue el caso de la mujer cananea, que lo conmovió para que curase a su hija[6]. El maestro del amor tenía convicciones sólidas, pero era flexible, sabía respetar a las personas y nunca exponía públicamente los errores de ellas.

Él fue un excelente maestro en el arte de la duda. ¿Cómo la usaba? A través del arte de la pregunta y de sus instigantes parábolas[7]. Pero, ¿la duda no iba contra la fe? Primero, Él usaba el arte de la duda para remover los prejuicios de las personas, luego discurría sobre la fe. Por tanto, discurría sobre una fe inteligente. Un ser humano tan inteligente sólo podía hablar sobre cosas inteligentes.

Todo lo que las personas creían Él lo controlaba. A través de la herramienta de la duda, el maestro liberaba a las personas de la dictadura del prejuicio y después hablaba de su plan trascendente.

Los tres niveles de la duda

La duda tiene tres niveles: ausencia de la duda, presencia inteligente de la duda, presencia excesiva de la duda.

La ausencia de la duda genera personas sicópatas. Quien nunca duda de sí mismo, quien se cree infalible y perfecto, nunca tendrá compasión de los demás.

La presencia inteligente de la duda abre las ventanas de la inteligencia y estimula la creatividad y la producción de nuevas respuestas.

La presencia excesiva de la duda lleva a las personas a retraer su inteligencia y sus actitudes por causa de la inseguridad. Se vuelven excesivamente tímidas y auto-punitivas.

La duda inteligente elimina el orgullo. Jesús contaba hermosas parábolas y llevaba a las personas a confrontarse con su orgullo y rigidez, de ese modo se proponía estimular el espíritu de ellas y romper su cárcel intelectual. Respondía preguntas con preguntas y cuando daba respuestas ellas siempre abrían los horizontes de los pensamientos. Era un gran maestro de la educación y sus discursos formaban y no informaban.

Quien andaba con Jesucristo rompía constantemente sus propios paradigmas. No había rutina. Él incendiaba el espíritu y el alma de las personas. Sus gestos y comportamientos sorprendían tanto a sus discípulos que, poco a poco, fueron esculpiendo sus personalidades. ¿Usted sorprende a las personas y enciende el ánimo de ellas o las bloquea?

Un ingeniero de ideas, una historia que tuvo éxito

Recuerdo a un paciente que tenía un excelente nivel intelectual, pero era tenso y tenía grandes problemas de relación con una de sus hijas. Padre e hija se enfrentaban continuamente. En el proceso sicoterapéutico le dije que si quería cambiar la naturaleza de la relación con su hija, tendría que reescribir la imagen enfermiza que ambos habían construido en los territorios inconscientes de la memoria.

El desafío era reeditar esa imagen, ya que es imposible borrarla. Y, para que su hija reeditase la imagen enfermiza que tenía de él, él tendría que sorprenderla con gestos inusitados, nada comunes. Comprendió los papeles de la memoria y estableció como meta cambiar esa historia. Sin una meta precisa, no cambiamos el libreto de nuestras vidas.

Cierto día, él pidió a la hija que comprase un ramo de flores para dar de presente a la esposa de un amigo que cumplía años. Ella, una vez más, se negó a atender su pedido, dándole como disculpa que no tenía tiempo.

Esa negativa debería hacer detonar en él un fenómeno inconsciente[*], llamado gatillo de la memoria, la cual abriría una ventana que contiene una imagen enfermiza de la hija, y que, a su vez, lo llevaría a agredirla con palabras. De nuevo, Él diría que la mantiene, que paga su facultad, la gasolina de su carro y que ella no reconoce sus valores. Ambos saldrían heridos como siempre.

Pero, esta vez, él no tuvo esa actitud. Aprendió a dominar sus pensamientos y a controlar las ventanas de la memoria. Guardó silencio y salió. Fue a la floristería, compró el ramo que deseaba. ¿Y sabe qué más hizo? Escogió el mejor botón de rosa para su hija.

---

[*] CURY, Augusto Jorge. *Inteligência Multifocal*, Editora Cultrix. São Paulo, 1998.

Llegó a casa, le dio la flor y le dijo que la amaba intensamente. Comentó que ella era muy importante para él y que no podía vivir sin ella. Atónita con la actitud del padre, ella lloró, pero no de tristeza. Su voz quedó entrecortada porque estaba descubriendo a alguien diferente de lo que conocía. Entonces, sin que lo percibiese, la imagen autoritaria y rígida de su padre comenzó a ser reeditada en los archivos inconscientes de su memoria. Pasó a respetarlo, amarlo, oírlo. Comenzó a ver que su padre no quería controlarla, sino que buscaba lo mejor para ella, aunque no sabía expresarlo. Se equivocaba cuando la acusaba, pero la amaba. Por otro lado, el mismo padre comenzó a reescribir la imagen de su hija. Vio que tenía muchas cualidades y no solamente defectos.

¿Sabe qué sucedió? Dejaron de ser un grupo de extraños. Comenzaron a compartir sus mundos, a cruzar sus historias. Antes, respiraban el mismo aire, pero vivían en mundos diferentes. Estaban próximos y, al mismo tiempo, muy distantes el uno del otro. Hoy, son grandes amigos y se aman intensamente.

El cambio fue tan grande que me pidió que escribiese sobre los papeles de la memoria en un próximo libro, para que otros padres e hijos tuviesen la oportunidad de cambiar los pilares de sus vidas. En su homenaje, relaté su historia. Él se convirtió en un ingeniero de ideas.

En una investigación que realicé, más del 80% de los padres e hijos viven como un grupo de extraños. ¿Usted logra sorprender a las personas con las que convive o es una persona inmutable? Si usted no las sorprende, nunca las logrará conquistar.

Examine si usted es o no una persona difícil. A veces somos buenos productos con pésima envoltura, vendemos mal nuestra imagen. Hable con el corazón. Conquiste a las personas difíciles. Haga con ellas cosas que nunca antes hizo. Libere su creatividad. Cause impacto en la emoción y en la memoria de ellas. Usted quedará impresionado con el resultado.

Los ingenieros de ideas son escasos, no solamente en el campo de las relaciones interpersonales, sino también en la sicología, la sociología, la filosofía, las ciencias físicas y las matemáticas.

El más excelente ingeniero de ideas

Jesús construía relaciones sociales riquísimas, incluso en poco tiempo. Las personas que convivían con Él lo amaban intensamente. Las multitudes se despertaban antes de salir el sol para oírlo.

La mujer samaritana, al oírlo, quedó tan encantada que salió por la ciudad hablando sobre Él aunque apenas acababa de conocerlo. Ella era una mujer promiscua y socialmente rechazada. Pero el maestro del amor no pidió cuentas de las personas con quienes había andado. Les dijo que ella estaba sedienta, ansiosa y necesitaba beber un agua placentera que jamás había experimentado[8].

¿Qué hombre es ese que en pocas palabras deja maravillados a sus oyentes? Las personas quieren formatear al hombre Jesús, pero es imposible formatearlo. Además de su divinidad, Él fue un ser deslumbrante.

La educación está muriendo

La educación moderna está en proceso de decadencia en todo el mundo. Educar bien ha sido una tarea desgastadora y poco eficaz. No por culpa de los educadores ni por falta de límites de los hijos impuestos por los padres, sino por un problema más grave que está ocurriendo entre los bastidores de la mente humana y que los científicos sociales y los investigadores de la sicología no están comprendiendo.

El ritmo de construcción del pensamiento del hombre moderno se aceleró de manera enfermiza, generando el síndrome SPA, o síndrome del pensamiento acelerado*. Estudiaremos ese síndrome más adelante.

Los jóvenes están desarrollando de manera colectiva el síndrome SPA. Ese síndrome hace que ellos busquen ansiosamente nuevos estímulos para excitar sus emociones y como no los encuentran, quedan agitados e inquietos. El aula de clase se volvió una cantera de tedio y de estrés, por eso no se concentran y tienen poco interés en aprender.

Los profesores son como cocineros que elaboran alimentos para una platea sin apetito. Los conflictos en las aulas de clase están llevando a los profesores a enfermarse colectivamente en todo el mundo. En España, el 80% de ellos están profundamente estresados.

En el Brasil, de acuerdo con una investigación realizada por la *Academia de Inteligencia,* un instituto que dirijo, el 92% de los educadores están con tres o más síntomas de estrés y el 41 % con diez o más, de los cua-

---

* CURY, Augusto J. *Treinando a Emoção para Ser feliz.* Editora Academia de Inteligência. São Paulo, 2001.

les se destacan: jaqueca, dolores musculares, exceso de sueño, irritabilidad. ¿Cómo logran trabajar? Al precio de perjudicar intensamente su calidad de vida.

La escuela ignoró al mayor educador del mundo

La educación incorporó muchas teorías, pero no tuvo en consideración al mayor educador del mundo. Si las escuelas estudiasen y usasen, sin una bandera religiosa, la sicopedagogía y los principios de la inteligencia del maestro de los maestros, ciertamente se realizaría una revolución en las aulas de clase.

¿Qué es educar? Educar es producir un ser humano feliz y sabio. Educar es producir un ser humano que ama el espectáculo de la vida. De ese amor brota la fuente de la inteligencia. Educar es producir una sinfonía en la que riman dos mundos: el de las ideas y el de las emociones.

Si las escuelas conociesen los procedimientos educacionales que Jesús aplicó, no solamente formarían una persona saludable, sino que tendrían profesores con mayor calidad de vida.

Infortunadamente, casi nadie valora ya a los educadores. Sin embargo, ellos son los profesionales más nobles de la sociedad. Los siquiatras tratan al ser humano enfermo y los jueces juzgan a los reos. ¿Y los profesores? Educan al ser humano para que no tenga trastornos síquicos ni se siente en los bancos de los reos. Los profesores, aunque sean subestimados, son los fundamentos de la sociedad. Necesitan tener subsidios para resolver los conflictos en el aula de clase, educar la emoción y hacer laboratorios del desarrollo de la inteligencia*.

Jesús hacía laboratorios educativos del más alto nivel. Hacía laboratorio de las funciones más importantes de la inteligencia, laboratorio de superación, laboratorio del entrenamiento del carácter, taller de sicología preventiva. Quien andaba con Él rescataba el sentido de la vida y deseaba ser eterno. Quien desea ser eterno es porque ha aprendido a amar la vida, a realzar su autoestima y a no gravitar en torno a sus sufrimientos. Esa es una faceta de la inteligencia espiritual.

Cuando el maestro de la emoción decía: "Ama al prójimo como a ti mismo"[9], estaba haciendo un excelente laboratorio de autoestima. Si no amo la vida que palpita en mí, independientemente de mis errores, ¿cómo voy a amar al prójimo? No espere amar a las personas si usted no ama su propia vida. No espere ser solidario con los demás si usted es un verdugo de sí mismo.

Jesús sabía enseñar a los seres humanos a pensar y a navegar en las aguas de la emoción. Quería tratar las heridas del alma y cuidar del bien de las personas. No estaba preocupado con su imagen social. Corría todos los riesgos por causa de un ser humano.

¿Será que todos los que lo admiran son capaces de amar al ser humano de esa manera? ¿Usted comprende que por detrás de las bellas sonrisas de las personas que lo rodean, hay algunas profundamente heridas y que no saben pedir ayuda?

---

* ZAGURY, Tania. *Limites sem traumas*. Editora Record. Río de Janeiro.

Quedaremos pasmados al estudiar que incluso cuando estaba muriendo, Jesús hacía rayos X de la emoción de las personas y se preocupaba por ellas. La sangre que corría por su cuerpo no era suficiente como para dejar de preocuparse por cada ser humano. Sus heridas musculares no lograban sofocar su ánimo. Tenía una capacidad irrefrenable de amar y refrigerar la emoción humana.

¿Qué título podemos darle si no es "El Maestro del amor"?

CAPÍTULO 2

Un príncipe en el caos: ¿Por qué Jesús fue carpintero?

¿Su profesión de carpintero fue planeada?

¿Por qué Jesús fue un carpintero? Me hice varias veces esa pregunta. ¿Por qué no fue un agricultor, un pastor de ovejas o un maestro de la ley? Si todo en su vida había sido planeado, ¿será que su profesión era una casualidad del destino? ¡Ciertamente que no! ¿Será que se hizo carpintero porque su padre también lo era o porque esa profesión era humilde y despojada de grandes privilegios sociales?[10].

Después de pensar en todo lo que Él vivió, después de analizar su historia detalladamente, quedé impresionado y profundamente conmovido con las conclusiones a las que llegué. Él fue un carpintero porque iría a morir con las mismas herramientas con las que siempre trabajó. Él pasó por el caos del estrés desde su adolescencia.

El joven Jesús trabajaba diariamente con martillo, con clavos y con madera. José, su padre, debe haber alertado varias veces al niño Jesús para que tuviese cuidado en el uso del martillo, pues podría herirse. De acuerdo con Lucas, desde los doce años Jesús ya manifestaba que sabía cuál era su misión y, por eso, tal vez supiese su destino. Solamente eso explica por qué anunció claramente a sus íntimos la manera como moriría, antes de que hubiese cualquier amenaza en el aire[11].

El niño Jesús sabía que un día sería herido de manera violenta con las herramientas que manipulaba. Cada vez que clavaba un clavo en la madera, probablemente tenía conciencia de que sus muñecas y sus pies serían clavados en la cruz.

María, una madre tan delicada y observadora, debía sacar las astillas de madera del joven Jesús. Cada vez que llegaba herido, ella debía pedirle que cuidase mejor de sí mismo, pues sus herramientas eran pesadas y peligrosas. Pero, en la mente del único joven que sabía cuándo y cómo iría a morir, Él grababa en el corazón las palabras de su madre y reflexionaba sobre el drama que lo aguardaba.

Al oír los consejos de su madre, tal vez dijese: "Gracias, madre, por sus consejos. Trataré de tener más cuidado al usar esas herramientas, pero un día ellas serán usadas para destruirme". El hijo ahorraba dolores a su madre...

El joven Jesús tenía muchos motivos para tener conflictos

Cada vez que levantaba sus manos y el golpe del martillo en los clavos producía un estallido agudo, Él tenía que aprender a proteger su emoción. De lo contrario, conocer previamente que moriría cruelmente y sin anestesia paralizaría su inteligencia. Imagínese a un adolescente que tiene que decidir entre jugar y pensar en su propio fin.

Podría querer evitar el trabajo con martillos, clavos y madera. Podría tener una aversión a todo lo que recordase su martirio, pero no lo hizo. El joven Jesús tenía todos los motivos para ser inseguro, pero fue seguro como nadie.

La responsabilidad social, el deseo ardiente de agradar a su Padre invisible, la preocupación con el destino de la humanidad y la conciencia de su caótico final eran una fuente estresante capaz de robarle el encanto por la vida, pero fue feliz como ninguno.

Solamente por trabajar con las mismas herramientas que irían a producirle las más intensas heridas, ya era suficiente para producir zonas de tensión en su inconsciente, controlar completamente su personalidad y convertirlo en un joven infeliz y un futuro adulto ansioso e inseguro. Sin embargo, contrariando las expectativas, Jesús alcanzó la cima de la salud síquica.

Un príncipe de la paz

A pesar de tener los motivos para ser frágil y angustiado, Jesús se hizo un hombre fuerte y pacífico. No tenía miedo de la muerte ni del dolor. Hablaba de la superación de la muerte y de la eternidad con una seguridad increíble. Era tan seguro que se exponía en situaciones de riesgo y no ocultaba lo que pensaba.

Nunca nadie ha tenido el coraje de hablar lo que Él habló. La muerte es el más antinatural de los fenómenos naturales. Jesús hablaba sobre la trascendencia de la muerte como si fuese un ingeniero del tiempo[12].

Vamos a estudiar algunos papeles de la memoria y algunas áreas del funcionamiento de la mente para que comprendamos algunos motivos por los cuales el hombre Jesús no se enfermó en su alma, sino que se convirtió en un príncipe de la paz en el caos.

Me gustaría que el lector abriese las ventanas de su mente para comprender algunos complejos mecanismos síquicos en un texto sintético. Viajar por dentro de la mente humana es uno de los viajes más interesantes que podemos hacer. Trataré de usar un lenguaje accesible.

Los papeles de la memoria en la generación de los conflictos

La memoria es como una gran ciudad. En ella hay innumerables barrios que se correlacionan de manera multifocal. Tiene una parte central, que llamo MUC (memoria de uso continuo), y una gran parte periférica, que llamo ME (memoria existencial).

El registro en la memoria es automático, producido por el fenómeno RAM (registro automático de la memoria). El fenómeno RAM registra todas las experiencias que producimos en el palco de nuestras mentes y registra de manera privilegiada las que tienen gran volumen emocional, tales como una ofensa o un elogio.

Todas las experiencias negativas, que contienen miedo, inseguridad, humillación y rechazo generan una zona de tensión en la emoción. Si esas zonas de tensión no son trabajadas rápidamente, serán registradas en la memoria convirtiéndose en una zona de conflicto. De ese modo, quedan disponibles y podemos producir una infinidad de pensamientos fijos sobre ellas.

Cuando alguien lo ofende, usted debe dominar rápidamente la zona de tensión de la emoción. Usted tendrá menos de cinco segundos para criticarla, confrontarla y reciclarla. ¿Cómo? Con ideas directas e inteligentes. Haga eso silenciosamente en el palco de su mente. Si usted no actúa, esa tensión emocional será registrada de manera privilegiada en la MUC, generando un archivo o zona de conflicto enfermiza en la memoria. Entonces usted pensará millares de veces en esa ofensa y en la persona que lo ofendió. ¿No es así como sucede cuando alguien nos frustra?

Cada vez que pensamos fijamente en un problema mal resuelto, él se va registrando y expandiendo su zona de conflicto en los archivos de su historia. Poco a poco, formamos innumerables tugurios en la gran ciudad de la memoria. Quedamos ansiosos, perdemos la concentración y hasta el sueño. Somos especialistas en causarnos daño a nosotros mismos cuando no controlamos las ideas fijas y fatales que producimos.

Con el pasar de los días o los meses, podemos dejar de recordar los problemas que tuvimos, pero ellos no desaparecieron. ¿Para dónde se fueron? Dejaron los terrenos conscientes de la memoria de uso continuo, MUC, y se fueron para los terrenos inconscientes de la memoria existencial, ME. O sea, dejaron el centro de la memoria y se fueron para la periferia. Cuando, en algún momento, estimulados por una imagen o situación, entramos en la región periférica donde se encuentran, podemos ser nuevamente afectados por ellos.

¿Conoce aquella angustia, tristeza y desánimo que usted no sabe de dónde viene ni por qué apareció? Las causas son las zonas de conflicto en la periferia de la memoria. Usted no se acuerda de ellas, pero ellas hacen parte del tejido de su historia de vida.

Diversas pérdidas, ofensas, fracasos, momentos de miedo e inseguridades de nuestro pasado están almacenados como "tugurios" en la gran ciudad de la memoria. Incluso, el mejor de los seres humanos tiene más tugurios en sus archivos inconscientes que la ciudad de San Pablo o de Méjico.

Algunos de esos tugurios están en el centro de la memoria y, por lo tanto, nos perturban diariamente, tal es el caso de la pérdida de empleo, un problema que sale de nuestras cabezas o una enfermedad obsesiva acompañada de ideas fijas ligadas a ella. Otras están en la periferia y nos incomodan eventualmente, como experiencias traumáticas del pasado.

La MUC representa la memoria de más libre acceso, la que más utilizamos para pensar, sentir, decidir, reaccionar y concientizarnos, por lo tanto es la memoria consciente. La memoria ME es la memoria que contiene los secretos de nuestra historia, por eso contiene los principales terrenos del inconsciente. Quien estudie y comprenda esos mecanismos tendrá gran ventaja para superar las turbulencias de la vida y equipar su inteligencia.

La memoria descontaminada del joven Jesús

Jesús pudo tener tanto la memoria de uso continuo (MUC) como la memoria existencial (ME) saturadas de zonas de conflicto. Si Él no hubiera sido una persona bien desarrollada, con elevada capacidad de administrar sus pensamientos y reescribir su historia, habría tenido una personalidad llena de conflictos.

Si no hubiera tenido una habilidad inigualada para dominar las zonas de tensión de la emoción, podría haber sido controlado por el miedo y hubiera sido una persona extremadamente ansiosa y traumatizada. Sin embargo, la palabra miedo no formaba parte del diccionario de su vida. Además de eso, Él era manso y dócil. El mundo podía derrumbarse sobre su cabeza, pero Él estaba sereno.

Cierta vez, sus enemigos quisieron destruirlo y Él simplemente pasó tranquilo por en medio de ellos[13]. En otra ocasión, sus discípulos, que sabían lidiar con el mar, tenían miedo de que el barco naufragase debido a una tempestad. ¿Qué hacía Él en ese momento? ¡Dormía! Más tranquilo imposible. Mucha gente no logra dormir siquiera cuando todo está en calma en su vida, pero el maestro de la vida lograba dormir en un barco a punto de irse a pique[14].

Hay personas que quedan bloqueadas intelectualmente después de que sufren alguna experiencia traumática, como un accidente, la pérdida de un empleo, una humillación pública, una separación conyugal. Las zonas de tensión de la emoción se vuelven grandes zonas de tensión o de conflicto de la memoria.

¿Es posible borrar o descargar la memoria, como algunos siquiatras y sicólogos clínicos piensan? ¡No! La memoria solamente se reescribe o se reedita, pero nunca se borra, a no ser que exista un tumor cerebral, una enfermedad degenerativa o un traumatismo craneal.

La memoria está extremadamente protegida. Si usted tuviera libertad para borrar la memoria, podría evitar algunos problemas, pero podría generar otros gravísimos. Podría destruir el significado de las personas dentro de usted, podría destruir su identidad en los días en que estuviera decepcionado consigo mismo.

Un acto así generaría un suicidio inimaginable de la inteligencia. Generaría una deficiencia mental gravísima. Por tanto, después de registrar las zonas de tensión, lo único que se puede hacer es reeditar con coraje y determinación la memoria.

Jesús evitaba el registro enfermizo en su memoria, escogía el camino más fácil e inteligente. Es mucho más fácil no crear enemigos que reescribirlos en los laberintos de nuestras memorias. Había diversas personas que lo odiaban, pero Él no odiaba a nadie. Su profesión podría haber generado traumas controladores, pero Él trabajaba con suavidad.

No hay regresión pura al pasado

¿Cuáles son las zonas de la memoria que lo controlan? ¿En qué piso del "gran edificio" de su pasado quedó obstruido o sin luz su ascensor? Necesitamos ir hasta esos pisos. Mientras tanto, tenemos que saber que no hay regresión pura al pasado, sólo hay el rescate del pasado a través del "yo"del presente, que representa la conciencia que usted tiene de sí y del mundo.

Aunque esté en un estado pre-consciente, usted lleva consigo parte de la cultura del presente y de la habilidad de su "yo" en el encuentro con las zonas de su historia, de su pasado remoto.

Cuando tomamos el "ascensor" y retornamos al pasado, no hacemos regresión pura como piensan algunos. Retornamos con conciencia del presente y, de ese modo, lo reinterpretamos. Si esa reinterpretación es bien hecha, reeditamos ese pasado.

No es posible anular el "yo" y la conciencia, a no ser por la hipnosis, que es una técnica poco eficaz para estructurar el "yo" y hacerlo líder del mundo de las ideas y de las emociones.

Lo adecuado es investigar el pasado bajo el liderazgo del "yo". Cuando el "yo" es consciente y lúcido, aunque tenga varias dificultades, puede abrir las ventanas de la memoria que contenían zonas de conflicto y reescribirlas. Así dejamos de ser víctimas de nuestra historia.

Una buena técnica para reescribir la memoria no es querer introducirse en la colcha de retazos de nuestra historia, sino actuar en las ventanas que se abren espontáneamente cada día. La próxima vez que usted se sienta tenso, irritado, intransigente, frustrado, haga un "pare introspectivo": pare y piense. No se decepcione de usted. Sepa que usted abrió algunas ventanas enfermizas y ahora tendrá una excelente oportunidad para reeditarlas. Así, poco a poco, usted estará libre para pensar y sentir.

No hay libertad, incluso en las sociedades democráticas, si la persona no es libre en su interior. La gran paradoja de las sociedades políticamente democráticas es que el ser humano es libre para expresar sus pensamientos, pero frecuentemente vive en una cárcel intelectual. Libre por fuera, pero prisionero por dentro...

Una memoria como un jardín

Vimos que hay dos clases de sabiduría, la inferior y la superior. Ahora necesitamos ver que hay dos clases de educación, la que informa y la que forma.

La educación que informa enseña al ser humano a conocer el mundo en que se encuentra; la educación que forma va más lejos, le enseña también a conocer el mundo que es él. La educación que informa le enseña a resolver los problemas de matemáticas; la educación que forma va más allá, le enseña también a resolver los problemas de la vida. La que informa enseña lenguas, la que forma enseña a dialogar. La que informa da diplomas, la que forma lo transforma en eterno aprendiz.

La educación que forma enseña a los alumnos a desarrollar las funciones más importantes de la inteligencia, así como a lidiar con sus angustias, sus limitaciones, sus conflictos existenciales.

La educación que forma establece un puente entre la escuela clásica y la escuela de la vida. Los adolescentes de hoy carecen totalmente de preparación para sufrir pérdidas y frustraciones. Sin embargo, no es de extrañar, pues la educación clásica desprecia la educación de la emoción. ¿Cómo esperar que naveguen en las aguas de la emoción si nunca se les enseñó a hacerlo?

El adolescente Jesús ya poseía una refinada capacidad para proteger su emoción contra los focos de tensión. Cada vez que golpeaba con el martillo, no dejaba que el martillo golpease su emoción. Si ella quedaba afectada, inmediatamente desarmaba la zona de tensión y no se dejaba consumir por el pavor y la ansiedad. De esa manera, los territorios de su memoria, que deberían ser un árido desierto, se convertían en un jardín.

Muchos hicieron de sus vidas un inmenso desierto. No aprendieron a trabajar sus traumas, sus pérdidas, sus dolores físicos y emocionales. Esas experiencias fueron registradas de manera privilegiada, confeccionando la colcha de retazos de su historia. El mal humor, la ansiedad, la agresividad reactiva y la hipersensibilidad que poseen son reflejos de un pasado herido y no tratado. Entre tanto, no debemos quedarnos lamentando nuestras miserias y frustraciones. Esa actitud es pésima.

Por malo que haya sido su pasado, aunque haya habido violencias físicas, emocionales o sexuales, reclamar por sus miserias es la peor forma de superación. No viva la práctica del "pobrecito". Critique su pasado, recíclelo, dé un choque de lucidez a su emoción y reedite los focos de conflicto de su memoria.

¿Cómo? A los que quieran mayores detalles, les recomiendo algunas técnicas que preconizo en el libro *Treinando a Emoção para Ser Feliz**. Una de ellas es el D.C.D. (dudar, criticar y determinar). Dude de su incapacidad, dude del control de su dolencia. Critique cada pensamiento negativo, critique la pasividad y el "pobrecito" del yo. Determine ser alegre, determine ser li-

---

* CURY, Augusto J. *Treinando a Emoção para Ser feliz*. Editora Academia de Inteligência. São Paulo, 2001.

bre y dé choques de lucidez a su emoción. Practique esa técnica decenas de veces por día en el silencio de su mente.

El D.C.D. es una técnica sicoterapéutica de gran valor, pero ella no substituye la consulta, si es necesaria, con un siquiatra o un sicólogo clínico.

Nunca tenga miedo de sus miserias. Vaya a los pisos del gran edificio de la vida sin recelo, con una postura de enfrentamiento.

¿Su memoria es un jardín o un desierto? No espere que las condiciones sean ideales para que usted pueda cultivar un jardín en el suelo de su emoción. En las condiciones más adversas podemos cultivar las flores más bellas.

El maestro de la vida, desde su más tierna juventud, aprendió a cultivar, aunque fuera bajo el sol ardiente de las presiones sociales, un jardín de tranquilidad y felicidad en lo íntimo de su alma. En las situaciones más tensas, sus íntimos lograban sentir el aroma de su emoción pacífica y serena. No permitía que nada ni nadie viniese a robarle la paz.

De qué manera los ataques de pánico y las drogas generan las dolencias síquicas

Innumerables personas en el mundo entero son víctimas del síndrome del pánico. Los ataques de pánico son caracterizados por miedo súbito de desmayar o morir, acompañados de taquicardia, aumento de la frecuencia respiratoria, sudor excesivo y otros síntomas. Los ataques de pánico generan intensas zonas de tensión en la emoción, que, a su vez, si no fueren bien trabajadas rápidamente, producen dramáticas zonas de conflicto de la memoria.

Esas zonas de conflicto quedan disponibles en región privilegiada de la memoria. Cuando se dispara un nuevo ataque de pánico, se abre una ventana, se expone la zona de conflicto contenida en ella y se reproduce nuevamente la sensación de fobia o de miedo. Esa experiencia es registrada de vuelta, ampliando los "tugurios" enfermizos del inconsciente.

El síndrome del pánico genera el teatro virtual de la muerte. Trae consigo un enorme sufrimiento, capaz de controlar completamente la vida de personas lúcidas e inteligentes. Sin embargo, no es difícil resolver el síndrome del pánico, máxime cuando ha habido tratamientos siquiátricos que no han tenido éxito. Ya traté a varios pacientes resistentes. El secreto está en enfrentar los focos de tensión, desafiar el miedo y reeditarlo y no solamente tomar antidepresivos.

Una de las características admirables de Jesús era que se enfrentaba a las situaciones estresantes sin temor. No huía de sus enemigos, no tenía miedo de ser interrogado, no tenía recelo de entrar en conversaciones delicadas y, mucho menos, de usar las herramientas que un día lo destruirían.

Enfréntese a su miedo y desafíelo y verá que el monstruo es menor de lo que usted imagina. Dé la espalda a su miedo y él se volverá un gigante imbatible. ¿Sabe cuál es el peor matemático del mundo? El miedo. Siempre aumenta el volumen de los problemas. Por eso es tan importante que no seamos pasivos, sino que demos un choque de lucidez a nuestras emociones.

Las drogas y el romance en el inconsciente

Recuerdo a una joven que atendí en un hospital siquiátrico en París. Era dependiente de heroína y estaba en tratamiento. Al atenderla, le mostré que a medida que se hizo dependiente, el problema no era ya la droga exterior a ella, sino la imagen de la droga registrada en su inconsciente*.

Mientras discurría sobre ese asunto, abrí una revista para mostrarle algo y, de repente, ella vio una imagen de polvo, semejante a la droga que usaba. Al mirar aquella imagen, el gatillo de la memoria fue disparado y se abrió una ventana del inconsciente que contenía experiencias con la heroína. La leyó de manera instantánea y la asoció con la droga y quedó angustiada. Todo ese proceso se operó en fracciones de segundos.

Así, ella comprendió que su mayor batalla no era eliminar la droga exterior a ella, sino terminar el romance dentro de ella, reescribir esa imagen en su memoria. Solamente reeditando el filme del inconsciente podría romper la cárcel de la emoción.

Es mejor prevenir que se formen registros enfermizos en la MUC y en la ME*, pues al ser registrados, la tarea de reeditarlos es compleja y exige tiempo, paciencia y perseverancia.

La actitud del niño y, posteriormente, del joven y del adulto Jesús de proteger su emoción y no hacer de su inconsciente una lata de basura refleja la más eficaz

---

* *A Pior prisão do Mundo*. Editora Academia de Inteligência. São Paulo, 2000.

* CURY, Augusto J., *Inteligência Multifocal*. Editora Cultrix. São Paulo, 1998.

sicología preventiva. Infortunadamente muchos sicólogos todavía no lo han descubierto. Él era feliz en la tierra de infelices, era tranquilo en la tierra de la ansiedad. En la cruz, tuvo reacciones capaces de dejar pasmado a cualquier investigador científico. Con todo, sus reacciones poco comunes eran un espejo de lo que Él fue y vivió desde su más tierna infancia.

Nadie debe desanimarse por haber registrado varios conflictos en su memoria. Lo que se debe saber es que no hay milagro para superar los conflictos de nuestra personalidad. A veces, reurbanizamos algunos tugurios de la memoria, pero siempre hay otros en la periferia que nos hacen tener recaídas.

Lo importante es no desistir de la vida. No sea inmediatista. Nunca se decepcione de usted mismo a tal punto que usted desee dejar de caminar. Aún con lágrimas es preciso seguir reescribiendo la imagen de la droga, del humor deprimido, de los conflictos, en fin, de todo lo que obstruye nuestra inteligencia y nos impide ser libres. Cuando menos lo espere, descontaminará sus ríos, iluminará sus calles, construirá plazas y será una persona más feliz.

Todos estamos enfermos en el territorio de la emoción

No hay una persona en esta tierra que no esté enferma en el terreno de la emoción. Unos más y otros menos. Unos manifiestan sus conflictos y otros los dejan represados. Pero todos tenemos, en diferentes grados, dificultades de administrar nuestra ansiedad. ¿Quién logra controlar plenamente sus sentimientos y ser señor de su emoción?

El mayor enfermo es el que no reconoce su fragilidad. ¡Cuidado! Como dije, tenemos, máximo, cinco segundos para criticar silenciosamente las zonas de tensión de la emoción y no permitir que se conviertan en matrices enfermizas en la memoria y, por consiguiente, evitar que generen ideas fijas.

Podemos deducir, desde el punto de vista sicológico, que Jesús pasó por el más dramático y continuo estado de estrés por el que un ser humano puede pasar. Por tanto, era de esperarse que cuando abriese la boca, apareciese un hombre radical y agresivo, de hecho apareció un hombre extremadamente gentil y agradable.

Se podía creer que surgiese un hombre que diese poco valor a la vida, pero apareció alguien a quien le gustaba mirar los lirios del campo. Era previsible que fuese engendrado un rebelde, un especialista en reclamar y juzgar a los demás, pero he aquí que surgió un hombre que decía: "Felices los misericordiosos, porque alcanzarán misericordia"[15]. ¿Quién es ése que exhala gentileza en la tierra árida por el estrés?

La galofobia de Pedro

Jesús dijo que Pedro lo negaría tres veces antes de que el gallo cantara dos veces[16]. Eso fue exactamente lo que sucedió. Pedro era una persona fuerte y realmente amaba a su maestro, pero no se conocía. Cometemos muchos errores cuando no nos conocemos.

Lo que controla el territorio de lectura de la memoria es la emoción. Si está ansiosa y aprehensiva, se cierran las ventanas de la memoria y se impide que la persona piense con libertad.

Personas con raciocinio brillante pasan vergüenzas porque bloquean su memoria en los focos de tensión. Cuando están en sus casas, producen ideas profundas, pero, cuando están en público, su inteligencia se traba. ¿Por qué? Porque la tensión emocional bloquea los campos de la memoria.

Pedro jamás pensó que el miedo conspiraría contra su capacidad de pensar. Cuando dijo que moriría con Jesús, si fuese necesario, estaba siendo sincero. Sin embargo, causamos molestias cuando no entendemos nuestros límites. Cuando Pedro vio que su maestro era golpeado y no reaccionaba, esa imagen fue hasta su corteza cerebral, hizo una lectura rapidísima de la memoria y generó un miedo súbito que bloqueó su capacidad de pensar. ¿Quién de nosotros no ha sido víctima de esos mecanismos?

Pedro negó con vehemencia a su maestro. Estaba acezante y desesperado. Al negarlo por tercera vez, el gallo cantó. Registró dos experiencias que se fundieron en su inconsciente: su negación y el canto del gallo. La imagen del gallo quedó sobredimensionada en su memoria, pues fue asociada al mayor error de su vida. De esa manera, probablemente, adquirió una galofobia: miedo activado por el canto de los gallos.

Cada vez que oía cantar un gallo, entraba en crisis, pues asociaba el canto a la negación de su maestro. Tal vez los gallos de Jerusalén hayan comenzado a causarle insomnio. Su canto abría las ventanas de la memoria que contenían la imagen de su negación, acelerando sus pensamientos e impidiéndole entrar en un estado inconsciente y somnoliento. La galofobia lo perturbaba.

Esa historia, aparentemente chistosa, tiene mecanismos que nos interesan. ¿Qué tipo de fobia perturba su emoción, controla la lectura de su memoria y paraliza su capacidad de pensar? Algunas mujeres tienen pavor a las cucarachas. No tienen miedo de enfrentar el mundo, pero la imagen de una cucaracha controla su inteligencia.

Jesús siempre fue un excelente sicoterapeuta. Sabía que Pedro quedaría traumatizado. Con su mirada afectuosa en el momento de la tercera negación, suavizó la zona de tensión de la emoción de su discípulo. Días después, al preguntar categóricamente y por tres veces si Pedro lo amaba, Jesús, con gran habilidad, le ayudó a reeditar las tres veces que lo había negado. Tema del próximo libro de esta colección: "El Maestro Inolvidable"*. Al comprender la fragilidad humana, Pedro comenzó a ser fuerte.

Los innumerables problemas del maestro de la vida, en vez de producir un hombre saturado de conflictos, generaron un excelente médico del alma, un hombre multifocalmente inteligente y emocionalmente sano.

Preparando a sus íntimos para soportar el invierno emocional

El dilema entre hablar y no hablar a los discípulos sobre la manera como moriría envolvía los pensamientos de Jesucristo. Si hablase secamente, podría causar un trastorno obsesivo en su madre y en sus discípulos. Si optase por el silencio, quedarían totalmente sin preparación para soportar su drama. Nubes de dudas podrían flotar sobre la fe de ellos y atormentarlos.

---

* CURY, Augusto J., *Análise da Inteligência de Cristo – O Mestre Inesquecível*. Editora Academia de Inteligência, (en preparación).

Optó por hablar, pero sin alardes, sobre su abandono final[17]. Habló de ello por lo menos cuatro veces. Comentó lo suficiente para que ellos pudiesen tener una leve conciencia de su caos, pero no sufriesen por Él.

A algunos les gusta comentar sus problemas para que todos giren en torno a ellos. Otros se callan, su historia y sus dificultades son secretos de estado. Jesús era equilibrado, hablaba serenamente de cosas que tenían un alto volumen de tensión.

El maestro de la vida trabajó en el inconsciente de sus discípulos sin que ellos lo notasen. Hizo un trabajo sicológico magnífico. Los preparó no solamente para la primavera de la resurrección, sino también para el invierno riguroso de la cruz.

¿Usted trabaja en el inconsciente de sus hijos y los prepara para que soporten las turbulencias de la vida? ¿Usted trabaja en la mente de su empleados y los prepara no solamente para el éxito, sino también para los tiempos de dificultades?

Un buen líder corrige errores, un excelente líder los previene. Un buen líder mira lo que está delante de él, un excelente líder ve más allá de lo que está delante de sus ojos.

Un excelente observador de la sicología: un escultor del alma humana

Jesús no solamente vivió el más intenso test emocional al trabajar con las mismas herramientas que lo destruirían, fue también un carpintero porque su profesión era un símbolo de su actuación como escultor del alma humana.

Todos los días salía en busca de nuevos troncos. Sin apiladoras ni transportes automotores, tenía que colocarlos en los carros de tracción animal. Sus brazos debían transportar piezas pesadas. Su piel debía estar siempre herida por las piezas que se deslizaban de improviso.

Sin sierra eléctrica ni herramientas de precisión, el carpintero de Nazaret daba innumerables golpes con la cuchilla de tallar para alcanzar el diámetro y la longitud necesarios de las piezas de madera. La fricción constante causada por el peso de los martillos y por los golpes producía innumerables ampolladas. Con el transcurrir del tiempo, la piel de sus manos debe haberse encallecido.

El maestro encallecía sus manos mientras afinaba su arte de pensar y de amar. Mientras encajaba las piezas de madera, analizaba atenta y embebidamente las reacciones y los pensamientos de los que lo rodeaban.

Tenemos poquísimos relatos sobre lo que ocurrió de los doce a los treinta años en la vida de Jesús. Pero el cuerpo de las ideas y conceptos que expresó sobre la naturaleza humana a partir de los treinta años revela que fue un excelente observador de la sicología. No espere ser profundo si los ojos de su alma observan poco. La visibilidad del maestro era grande.

Jesús vaciaba los comportamientos humanos y analizaba las causas que los sustentaban. Percibió que el ser humano estaba enfermo en su alma. Enfermo por la impaciencia, la rigidez, la intolerancia, la dificultad para contemplar lo bello, la incapacidad de darse sin esperar la contrapartida del retorno.

Cierta vez los fariseos preguntaron por qué se relacionaba con pecadores y personas éticamente reprobables. Jesús los miró fijamente y lanzó una certera palabra: "Los sanos no necesitan médico, sino los enfermos"[18].

El maestro del amor comprendió las limitaciones humanas. Entendió que el ser humano domina el mundo exterior, pero no tiene dominio de su propio ser. Roma dominaba el mundo, pero los generales y emperadores romanos eran dominados por su emoción arrogante. Los arrogantes son esclavos de su orgullo.

Solamente alguien que conoció las limitaciones humanas en sus raíces más íntimas podría amar incondicionalmente al ser humano en una sociedad saturada de prejuicios y discriminaciones. Solamente alguien que penetró en las entrañas del alma podría perdonar y dar tantas oportunidades cuantas fuesen necesarias para que alguien comenzase todo de nuevo.

En una tierra de exclusiones, Jesucristo acogió. En un ambiente social en el que algunos querían estar por encima de los demás, Él solamente aceptó estar por encima de las personas cuando fue clavado sin piedad en la cruz.

Nadie fue tan grande como Él y nadie supo hacerse tan pequeño. La grandeza de un empresario o de un político no está en los titulares de los diarios que la informan como noticia, sino en su capacidad de hacerse pequeño para comprender las dificultades humanas.

Un padre nunca será un gran padre si no aprende a inclinarse y penetrar en el mundo de sus hijos. El maestro del amor se hizo pequeño para engrandecer a los pequeños.

¿Usted logra hacerse pequeño para alcanzar a las personas que no tienen su nivel intelectual o su experiencia de vida? De nada sirve criticarlas. La crítica seca produce angustia y controla la apertura de la memoria de quien la recibe. Es necesario valorarlas. Valórelas y ellas abrirán las ventanas de su mente. Así, sus palabras airearán la emoción y la inteligencia de ellas.

Laboratorios de inmersión: las excelentes técnicas pedagógicas

Mientras andaba con sus discípulos, el maestro del amor hacía diversos laboratorios para sumergirlos en un entrenamiento capaz de cambiar sus vidas. Él no se quedaba en el discurso, sino que creaba situaciones o usaba las circunstancias para que sus discípulos hiciesen laboratorio de autoestima, de superación, de trabajo en equipo y de reedición del inconsciente.

Jesús usó todas las formas para trabajar el alma humana. Escogió la estirpe menos recomendable de hombres para tallarlos. El maestro permitía, a veces, que sus discípulos estuviesen en apuros para que revelasen las zonas enfermas de conflicto de sus memorias. Cuando eso sucedía, surgía la oportunidad preciosa para que reeditasen el film del inconsciente.

Cuando Pedro dijo a un oficial del templo que su maestro pagaba el impuesto sin consultarlo, Jesús le preguntó: "¿El hijo del rey paga impuesto?"[19]. Pedro dijo que no. Perplejo, entendió que su maestro era el hijo del Rey de reyes. Por eso, quedó decepcionado consigo mismo, pues una vez más había reaccionado sin pensar.

Jesús, delicadamente, hizo otro laboratorio para que Pedro aprendiese a pensar antes de reaccionar. Le pidió que fuese a pescar y le dijo que en el primer pescado que cogiese encontraría una moneda para pagar el impuesto por Él y por sí mismo. Pedro se quedó pasmado. Era un especialista de la pesca y nunca había sacado una moneda de un pez. Mientras pescaba, reflexionaba, penetraba en los tugurios de su memoria y los reurbanizaba. De esa manera, en cada laboratorio era tallada un poco más la piedra bruta de su personalidad.

¿El resultado? El apóstol Pedro se volvió un hombre tan inteligente y gentil que sus dos cartas reflejan un tratado de sicología social. Destilan sabiduría y contienen textura literaria, comprensión de los dolores humanos y de los conflictos existenciales. Él, que no sabía soportar sufrimiento o estrés, estimuló a sus lectores a no tener miedo de los dolores de la existencia, sino a superarlos con coraje, sabiendo que transforman el alma como el fuego purifica el oro.

Esculpiendo el alma humana en la escuela de la vida

En una tierra en que los sentimientos humanos estaban embotados y las personas no aprendían el arte de pensar, Jesús hizo laboratorios de la sabiduría. Al andar con Él, los insensibles se tornaban poetas, los agresivos calmaban las aguas de la emoción, los incultos se volvían pensadores.

Cuando el maestro de la vida decía: "Felices los mansos porque heredarán la tierra"[20] , quería revelar que la violencia genera violencia, y que todo opresor será un día derribado por los oprimidos. Hacía evidente que los territorios de su reino, al contrario de lo que ha ocurrido hasta ahora en la historia, eran conquistados por la mansedumbre.

Juan, el más joven de los discípulos, era aparentemente muy amable, pero de hecho su emoción era explosiva y llena de prejuicios. Cierta vez, sugirió a Jesús que destruyese con fuego a algunas personas que no quisieron recibirlos[21]. Si el más amable de los discípulos quería destruir a los que querían acogerlos, imagínese lo que se podría esperar de los demás.

El maestro del amor, siempre dócil, oía los absurdos de sus discípulos y, pacientemente, trabajaba en los rincones del alma agreste e inhumana de ellos. Esculpió la emoción de Juan. ¿El resultado? Juan se convirtió en el poeta del amor. En los últimos momentos de su vida escribió palabras que dan testimonio de cuánto amaba a cada ser humano.

Tal vez a usted le guste trabajar con las personas de fácil relación. Tal vez usted quisiese tener hijos menos complicados, alumnos menos problemáticos, colegas de trabajo más receptivos y abiertos. Sin embargo, nunca olvide que muchos científicos y hombres de éxito de la actualidad fueron, en el pasado, personas muy difíciles. ¿Por qué tuvieron éxito? Porque alguien creyó e invirtió en ellos. Las personas más problemáticas podrán ser las que más alegrías le darán en el futuro.

El maestro de la emoción prefirió trabajar a las personas difíciles para mostrar que vale la pena invertir en el ser humano. Él trabajó pacientemente en las personas consideradas escorias de la sociedad y ellas, a excepción de Judas, aprendieron el arte de amar. Les enseñó que en las pequeñas cosas se esconden los más bellos tesoros.

Los condujo a deshacerse de sus máscaras sociales y a descubrir que la felicidad no está en los aplausos de la multitud ni en el ejercicio del poder, sino en las avenidas de la emoción y en las callejuelas del espíritu. Los discípulos abandonaron a Jesús en el momento en que más los necesitaba. Él previó eso y no reclamó. Un día ellos regresaron y se hicieron más fuertes.

¿Usted cuida con delicadeza la vida porque comprende que ella es breve como una gota que se evapora al sol del mediodía? ¡No se quede inmovilizado con sus problemas ni saturado por el sistema social! Invierta en su vida y en la de los demás.

Esa es la única inversión que siempre gana, incluso cuando pierde. Aunque las personas de quienes usted cariñosamente cuidó lo abandonen, como sus hijos y amigos, un día ellas regresarán, pues las semillas tardan, pero no dejan de germinar. Confíe en las semillas.

CAPÍTULO 3

Una humanidad
inigualable

Un hombre fascinante

A muchas personas les gusta los hechos sobrenaturales de Jesús, exaltan su poder divino, pero no logran mirar la exuberancia de su humanidad. Jesús era un especialista en captar los sentimientos más ocultos, escondidos en los gestos de las personas, incluso de las que no lo seguían. A veces no logramos captar los sentimientos de las personas más íntimas, ¡qué decir de las distantes!

Las paradojas que rodeaban al maestro de la vida nos dejan boquiabiertos: por un lado decía que era inmortal, por otro le gustaba tener amigos temporales; por un lado hablaba sobre la pureza de los oráculos de Dios, por otro extendía las manos hacia las personas éticamente equivocadas; por un lado era capaz de resucitar a un niña, por otro lado escondía su poder al pedir a los padres de esa niña que le diesen de comer.

Financieramente rico, pero emocionalmente triste

Un día, un hombre riquísimo y famoso resolvió hacer realidad un gran sueño: cultivar un jardín con plantas del mundo entero. Quería tener el placer de llegar del trabajo y contemplarlas. Llamó a los mejores paisajistas del mundo. Plantó todo tipo de flores. ¡Todo era tan lindo! Entonces, después de que todo estuvo listo, volvió a la rutina de sus problemas. Como tenía muchas actividades y preocupaciones, poco a poco perdió el encanto por su jardín.

Perturbado, comenzó a observar que su jardinero canturreaba mientras cuidaba las flores. Impresionado, comprendió que la belleza está en los ojos de quien la ve. De nada servía ser dueño del jardín si él no administraba su emoción para contemplarlo. De nada servía tener millares de flores si sus pensamientos no se aquietaban para percibir el perfume de ellas. Comenzó a revisar su estilo de vida, y comprendió que su jardinero, aunque tuviese una pequeña cuenta bancaria, tenía una elevada cuenta emocional. Era más feliz que él.

Hay hombres millonarios que tienen cuidanderos, jardineros y mayordomos emocionalmente más ricos que ellos. Principalmente cuando trabajan con placer y logran extraer la belleza de las pequeñas cosas de la vida. Muchos hombres de éxito frecuentan los consultorios de siquiatría. Tuvieron éxito financiero, social, intelectual, pero se autoabandonaron, no tuvieron éxito en ver días felices y tranquilos.

Jesucristo hacía rimar en su personalidad la gentileza y la seguridad, la elocuencia y la sencillez, la gloria y el anonimato, la grandeza y los gestos humildes. Enfrentaba el mundo para defender lo que pensaba, pero, al mismo tiempo, lograba llorar sin reservas delante de los demás. Alcanzó la cima de la salud síquica. Su humanidad fue inigualable.

¿Usted logra reunir en su personalidad la gentileza y la seguridad? ¿Usted es una persona sociable hasta el punto de contagiar a los otros con su sencillez y espontaneidad? A veces ni siquiera nuestras sonrisas son espontáneas y frecuentes.

Una de las peores cosas que un siquiatra o sicólogo puede cometer contra él mismo es seguir siendo un profesional de salud mental fuera del ambiente del consultorio. Destruye su encanto y su sencillez por la vida.

Placer de ser humano

Billones de personas admiran profundamente a Jesucristo, incluso los budistas y los islámicos. Sin embargo, las personas quieren un Cristo en los cielos, pero no perciben que a Él le gustaba ser reconocido como hijo del hombre.

El más sobrenatural de los seres humanos amó la naturalidad. Ayudó a todos con su poder, pero se negó a usarlo cuando fue juzgado y crucificado. Quiso ser un hombre hasta agotar la energía de todas sus células y tener en las matrices de su memoria todas las experiencias humanas. ¿Cuánto valoramos nuestra humanidad?

¿Jesús fue infeliz por haber vivido una agenda con las más complejas experiencias humanas? ¡No! Experimentó momentos de extrema tensión y angustia. Sin embargo, los problemas no lo manejaban, Él manejaba sus problemas. Las frustraciones no lo dominaban, Él dominaba las frustraciones...

El maestro sabía aquietar su alma y sacar mucho de poco. Dormía cuando todos estaban agitados y estaba alerta cuando todos estaban durmiendo. Su emoción no era víctima de las circunstancias, por eso era calmado incluso cuando el mundo se derrumbaba sobre Él. Discurría sobre la fuente de la alegría, incluso cuando había enemigos para prenderlo[22].

Cuántas veces somos esclavos de las circunstancias... Nuestra emoción, movida por nuestros problemas, parece un péndulo atraído para uno y otro lado. Si usted no es muy alegre, incluso cuando tiene motivos para serlo, entonces necesita analizar algunos pilares de su vida.

El hombre Jesús consideraba la vida como un espectáculo

Haga una pausa y observe el mundo admirable de los pensamientos y emociones. ¿Cómo pensamos? ¿Cómo penetramos en lo oscuro de la memoria en milésimas de segundos? ¿Cómo encontramos en medio de billones de opciones los elementos que confeccionan las cadenas de pensamientos? ¿Cómo tenemos certeza de que los verbos que empleamos en la construcción de las ideas son exactamente los que queríamos utilizar?

El mundo de los pensamientos contiene hechos insondables. La ciencia nunca conseguirá revelarlos completamente. ¿Por qué? Porque todo pensamiento sobre los fenómenos que están contenidos en el pre-pensamiento, o sea, que forman el pensamiento, ya es un pensamiento elaborado y nunca el pre-pensamiento en sí.

Cuando los seres humanos hayan explorado intensamente el inmenso espacio y el pequeño átomo y tengan tiempo para volver al interior de sí mismos, comprenderán que la ciencia tiene sus límites exploratorios. Los mayores misterios no están en el origen del universo, sino en el origen de la inteligencia, en la construcción de las más sencillas ideas. Imagínese que cuando un niño piensa, aunque esté abandonado en las calles, realiza un hecho más complejo que todas las investigaciones de Harvard.

¿Usted queda asombrado cuando observa a las personas que están pensando, sintiendo y cambiando experiencias en las relaciones sociales? Los programas de la Microsoft son sistemas arcaicos comparados con los fenómenos que nos hacen producir los momentos de alegría y tristeza, tranquilidad y ansiedad. Su inteligencia, como la de cualquier ser humano, es espectacular. Y aunque usted tenga muchos defectos, nunca se disminuya delante de nadie. Toda discriminación es inhumana y carece de inteligencia.

En la época de Cristo, los leprosos eran excluidos de la sociedad. Sin embargo, el desprendimiento de Jesús era tan grande que lograba dar tanta o más atención a un leproso que a un fariseo. ¿Por qué? Porque nadie era mayor o menor que Él. No hacía eso porque fuera solamente un hombre caritativo, sino porque veía la grandeza de la vida. Por verla, era capaz de dar a unas prostitutas el *estatus* de ser humano, llamándolas "mujer"[23]. Si usted nunca ve la grandeza de la vida, difícilmente logrará honrar a las personas que carecen de privilegios.

Es lamentable percibir que muchas personas viven sus vidas con banalidad, disminuyéndose unas a otras, midiéndose por la cuenta bancaria, los diplomas académicos y el *estatus* social.

Si usted se encuentra con el presidente de su país que atraviesa una calle, y cercano a él está un niño desprotegido socialmente, apriete primero las manos del niño. Él es tan importante como aquél y necesita más de usted. Necesitamos honrar solemnemente el espectáculo de la vida.

Sin amor, la vida no tiene sentido

Un día un padre me trajo un hijo que estaba con depresión y con problemas de fármaco dependencia. Residen en los Estados Unidos. Viajaron millares de kilómetros para buscar ayuda.

Cuando le pregunté por qué vino desde tan lejos para el tratamiento de su hijo, si en su país hay excelentes siquiatras, me interrumpió diciendo que viajaría por el mundo entero para que su hijo pudiese ser feliz y tuviese éxito en la vida. Había leído uno de mis libros y quería que yo le ayudase.

¿Qué lleva a un padre a cometer actos desesperados para ayudar a su hijo? Si nuestra mente fuera limitada como la de una computadora, ciertamente eliminaríamos a nuestros hijos problemáticos, dependientes o deficientes. Sin embargo, cuantas más dificultades tienen ellos, más vínculos creamos y más los amamos.

Recientemente, un padre me dijo que tenía una hija con deficiencia mental. Ella era alegre y sociable, aunque tuviese dificultad para construir pensamientos complejos, debido a la deficiencia de almacenamiento de informaciones en la memoria. Los padres y dos hermanos la amaban intensamente y cuidaban de ella con el mayor cariño. Un día ella falleció.

Al morir, parte de la vida de ellos entró en colapso. ¿Por qué? Porque el amor imprime la imagen de nuestros seres queridos en las raíces de nuestro inconsciente. Su niñera se despertaba temprano y llevaba el tetero como siempre lo hacía. Olvidaba que ella se había ido.

Las personas fallecen, pero el amor hace que continúen vivas dentro de nosotros. Sin amor, ¿qué sentido tiene la vida? El *homo sapiens* es una especie admirable, no solamente porque produce ciencia y tecnología, sino principalmente porque tiene una emoción capaz de amar. El amor nos hace cometer actos ilógicos para cuidar y proteger a quien amamos.

Piense en eso. Nadie habló de manera tan elevada sobre el amor como Jesús, pero ¿qué sentía Dios cuando veía a su Hijo agonizando en la cruz? Lo que ellos vivieron en esos momentos está mucho más allá de los límites de la investigación sicológica. Sufrieron intensamente por amor. El amor los controlaba.

Solamente el amor nos hace cometer actos imprevisibles. Si Dios fuese una mega computadora, nunca habría permitido que su Hijo muriese en la cruz a favor de la humanidad. El amor, simplemente Él, hizo que los dos personajes más importantes del universo cometiesen actos ilógicos para rescatar a quien amaban.

El maestro del amor quería enseñar a la humanidad el arte principal de la inteligencia y el más difícil de aprender, el arte de amar. Para aprenderlo, era necesario cultivar la contemplación de lo bello, la tolerancia, la capacidad de perdonar y la paciencia. Amar es una palabra fácil de decir pero difícil de vivir. Muchos no tienen siquiera las reservas para amarse a sí mismos, qué decir para las personas de fuera. Pero, sin amor, ¿qué sentido tiene la vida?

Él renueva las esperanzas, reanima el alma, reaviva la juventud de la emoción. Quien no ama envejece precozmente su emoción, lo que es grave. Quien ama, aunque esté en un asilo, vive en la primavera de la vida. Si usted aprende a amar, será un eterno joven, aunque sea anciano. En caso contrario, será un viejo aunque sea joven.

El amor que usted tenga por su trabajo indica cuánto se dedica a Él y cuánto placer deriva de Él. El amor que usted tenga por la vida, indica qué sentido de la vida tiene y cuánto invierte en ella. Deténgase para observar la vida. Aprenda algunos secretos con el maestro del amor.

Un hombre que provocaba suspiros

Roma dominaba muchas naciones. Tiberio César era el señor del mundo. El dominio de Roma sofocaba el alma de cada judío. Las personas casi no tenían pan en la mesa ni pan de seguridad en el alma. Israel nunca aceptó ser sojuzgado por cualquier otro pueblo. En el pasado, el pueblo de Israel ya había pagado un alto precio para liberarse del yugo de Egipto.

Fueron cuarenta años de caminata en busca de la tierra de sus sueños. Canaán era más que suelo, significa más que una tierra que manaba leche y miel, era un hogar para descansar el alma. Israel era todavía una frágil chispa, pero prefirió el calor del desierto a la servidumbre del Faraón. Prefirió el calor del sol a la sombra de un techo que no era suyo.

Pero llegaron tiempos difíciles. El dominio del imperio romano era un cuerpo extraño que penetraba en el interior de cada casa de los judíos. El miedo hacía parte de la rutina de aquel pueblo. Nadie hablaba de otra cosa que no fuera Roma y César. Entonces, de repente, surgió inesperadamente un carpintero y fue ocupando el escenario físico y emocional de las personas.

Poco a poco ellas no hablaban de nada más, a no ser de Jesús. Nadie sabía exactamente quién era Él. Sólo sabían que sus palabras provocaban suspiros en el corazón y sus gestos lubrificaban los ojos. Un carpintero penetró en las callejuelas del pensamiento de los judíos y se convirtió en la pauta principal del noticiero de Jerusalén.

Personas de culturas, orígenes y dogmas religiosos diferentes se apretujaban para tocarlo y oírlo. Jerusalén hervía de gente. Él se reveló al mundo en un breve espacio de tiempo: tres años y medio, pero fue suficiente para volverse inolvidable. La tierra quedó con más colores desde que Él pisó este planeta azul.

El plano macrosocial de Cristo incluía no solamente un reino eterno venidero, sino también cuidar de la miseria social e irrigar la emoción del ser humano con un placer inagotable. El carpintero que talló la madera fue el artesano de la más excelente sabiduría.

Era tan desprendido de la necesidad de poder que estimulaba a sus discípulos a hacer obras mayores que las suyas. No solamente a los líderes políticos, académicos, sino también a los religiosos les gusta controlar a los demás para que nadie los supere, pero Jesús estimuló a sus discípulos a superarlo en ayudar a las personas y aliviar el dolor humano...

Algunas mujeres quedaban tan emocionadas al conocerlo que no sabían cómo agradecerle. Entonces, en un gesto sinigual, lloraban y besaban sus pies. Los fariseos, destilando malicia en sus pensamientos, las reprobaban y lo criticaban por permitir semejante acto infame y comprometedor. Jesús sabía que las lágrimas y los besos tejían un lenguaje insustituible para expresar los más nobles sentimientos.

¡Ah! ¡Si supiésemos amar como Él nos enseñó! ¡Si los padres diesen menos juguetes a sus hijos y más su ser y su historia, tendríamos más alegría y menos soledad en los pequeños espacios de los hogares modernos! ¡Si los profesores diesen menos información y gastasen más tiempo en penetrar en el alma y educar la emoción de sus alumnos, tendríamos menos conflictos en los pequeños espacios de las aulas de clase!

Capítulo 4

La conmovedora trayectoria en dirección al Calvario

$\mathcal{E}$l mayor educador del mundo no necesitaba dirección fija ni tecnología para atraer a las personas. Jesús provocaba suspiros en cuanto hablaba. Su hablar inspiraba la sensibilidad de todos los que lo oían.

Millares llenaban las hospederías, no pocos dormían a la intemperie. La multitud estaba inquieta esperando que saliese el sol para verlo y oírlo. Pero, para sorpresa de todos, Él estaba padeciendo un juicio relámpago.

Vimos en el libro anterior de esta colección, "El Maestro de la Vida", que Él fue detenido secretamente y juzgado a la sordina de la noche[24]. En las primeras horas del día ya se había pronunciado el veredicto final.

De ahora en adelante estudiaremos sus pasos en dirección a la cruz. Antes de analizar los preparativos de la crucifixión y la misma crucifixión, vamos a analizar un pasaje al que pocos prestan atención, pero que tiene una belleza nada común: su trayectoria hasta el Calvario o Gólgota, el lugar en el que fue crucificado.

Soportando y superando su dolor

Si Jesús se hubiese fijado en su dolor y en la ira de sus verdugos, habría abandonado su cáliz. Sin embargo, ni sus dolores ni la frustración causada por las personas lo dominaban.

Nosotros desistimos fácilmente de las personas que nos decepcionan, pero Él tenía una capacidad de perseverancia nada común. Su motivación era inquebrantable. Tenía metas sólidas y establecía prioridades para cumplirlas. Así, lograba extraer fuerzas para soportar con dignidad lo que nadie soportaría con lucidez.

Estaba sufriendo, pero no sufría como un miserable o un infeliz. A cada momento de dolor, entraba en un profundo proceso de reflexión y diálogo con su Padre. El maestro de la vida caminaba dentro de sí mismo mientras caminaba hacia su destino final. Lograba ver los dolores con otra perspectiva.

¿En qué perspectivas vemos nuestros sufrimientos? No me estoy refiriendo a los sufrimientos dramáticos como los que Jesús soportó, sino a aquellos que vivimos diaria o semanalmente. Muchos de nosotros no sabemos soportar las dificultades inherentes a la vida. Ellas nos desconciertan y no nos fortalecen, nos paralizan y no nos liberan.

Nadie debe buscar cualquier clase de dolor para tallar su personalidad. Debemos ir siempre en dirección a la zona de comodidad, ir al encuentro del placer y de la tranquilidad. Sin embargo, aunque usted sea el más prevenido de los seres humanos, además de no ser perfecto, no logra controlar todas las variables de su vida. Por eso, pequeños dolores y frustraciones lo acompañarán en su trayectoria existencial.

El problema no es si ellos llamarán o no a su puerta, sino lo que usted hará con ellos. No reaccione con miedo, no se rebele, no culpe al mundo. Recuerde que el maestro de los maestros mostró que el dolor puede ser una excelente herramienta para tallar su alma. Quien aprende a usarla deja de ser un héroe por fuera y se convierte en una persona fuerte por dentro...

Consolando a las personas en la cima del dolor: otro gesto excepcional

Jesús siempre estuvo dispuesto a cargar su cruz. Ahora había llegado el momento. Sin embargo, sus enemigos lo torturaron tanto que no tenía energía para cargarla. Intentaba, pero al colocar la viga de madera sobre los hombros, caía con frecuencia.

Los soldados le daban latigazos. Lentamente Él se levantaba y nuevamente se arrodillaba. Para no retardar el desenlace final, llamaron al primer hombre fuerte que estaba cerca para que lo ayudara. Fue, entonces, cuando colocaron la cruz sobre Simón, el cirineo[25]. Este había venido de lejos probablemente para ver a Jesús y ser ayudado por Él, pero ahora lo ve mutilado y necesitando ayuda.

Ser ayudado por Simón provocó todavía mayor dolor en Jesús, pues además de desear cargarla, jamás admitía causar sufrimiento a alguien. Pero estaba débil y no podía cargar la viga de madera. Su cuerpo entero dolía, sus músculos traumatizados apenas conseguían moverse.

Lucas, autor del tercer evangelio, describe la escena de manera elocuente. Dice que las personas veían el espectáculo y se asombraban[26]. Contemplaban el dolor y el drama de Jesús y eran invadidas por tal cantidad de desesperación que se golpeaban el pecho desconsoladas e inconformes. El más elocuente y amable de los seres humanos estaba mudo e irreconocible.

Caminaba lentamente. Con su cabeza inclinada. Estaba, por tanto, sin condiciones físicas ni síquicas para preocuparse con nada diferente de sí mismo. Sin embargo, al observar los gritos de la multitud que lo amaba, se detuvo, no soportó.

¡Levantó los ojos! Vio a los leprosos y a los ciegos que había curado, a las prostitutas a quienes había acogido, así como a innumerables madres que cargaban a sus hijos en brazos. Su corazón se compungió... Entonces, cuando todos pensaban que no tenía más energía para raciocinar y decir cualquier palabra, miró fijamente a la multitud, localizó a las mujeres y dijo, probablemente con lágrimas: "Hijas de Jerusalén, no lloren por mí. Lloren por ustedes y por sus hijos"[27] .

¿Qué hombre es capaz de olvidarse de sí mismo y preocuparse por los demás en el auge de sus sufrimientos? Él tenía demasiados problemas. Era Él quien necesitaba consuelo y no la multitud. Era Él quien necesitaba curar sus heridas y aliviar sus dolores, pero una vez más se olvidó de sí mismo, se volvió hacia las personas y procuró consolarlas.

¿Usted conoce a alguien que haya sufrido un grave accidente automovilístico y que, a pesar de estar todo herido, sangrando y muriendo, haya sido capaz de olvidarse de sí mismo para consolar la angustia de los que se acercaban a Él? Jesús invirtió los papeles. El herido ayudó al socorrista. Su amabilidad no tiene precedente histórico. Estaba herido y mutilado, pero sus ojos se desviaban de su dolor y se fijaban en los dolores de los demás. En la cruz analizaremos que Él llevará hasta las últimas consecuencias su solidaridad y su amor.

Rara vez logramos mirar los problemas de los otros cuando estamos preocupados con los nuestros. A veces, al pasar por una pequeña crisis de ansiedad, nos volvemos más intolerantes y agresivos. Sin embargo, el maestro del amor no solamente hizo actos humanísticos cuando estaba en la cima de la salud y de la fama, sino también cuando estaba en los niveles más inferiores de la infelicidad y del infortunio, lo que lo convierte en un hombre agradable y excepcional, simplemente único.

La destrucción de Jerusalén en 70 d.C.

Jesús parecía decir: "Por favor, no lloren por mí. Estoy muriendo, no se preocupen por mí. Preocúpense por ustedes mismos. Ustedes ya tienen demasiados problemas, lloren por ustedes mismas y por sus hijos..." Pero, el maestro de la vida dijo algo enigmático. Comentó que, si hacían aquello con el leño verde, harían algo peor con el leño seco[28]. Quería decir que, si los romanos le daban a Él un juicio injusto, a pesar de ser tan amable y justo, ¿qué podrían hacer con los judíos?

Tal vez estuviese alertando a las madres para que se preocupasen por sus hijos, pues vendrían días dramáticos. Tal vez estuviese viendo anticipadamente la destrucción dramática de Jerusalén por los romanos en el año 70 d.C. La destrucción de Jerusalén fue uno de los capítulos más angustiosos de la historia de la humanidad y pocos lo conocen. Veamos.

Quien habla de la caída de Jerusalén es el historiador Flavio Josefo*. Él vivió entre el 37 y el 103 d.C. Su padre

———

* JOSEFO, Flávio. *A História dos Hebreus*. Editora CPAD. Río de Janeiro, 1990.

era de linaje de sacerdotes y su madre del linaje real asmoneo. Tenía una vasta cultura, hablaba, además del hebreo, el griego y el latín. Pertenecía al grupo de los fariseos. Cuando empezó la revuelta de los judíos en el año 66 d.C., contra los romanos, por tanto más de treinta años después de la muerte de Jesucristo, Josefo fue convocado para dirigir las operaciones contra Roma en Galilea.

El imperio romano crecía cada década. A medida que crecía, la máquina estatal aumentaba y necesitaba más dinero y alimentos para financiarla. La paranoia de los Césares de dominar el mundo no era solamente fomentada por la codicia, sino también por una necesidad de supervivencia. Cuantas más tierras dominaban, más impuestos cobraban.

Josefo logró algunas victorias contra el ejército romano, pero finalmente fue derrotado y hecho prisionero. Quien inició la lucha contra Jerusalén fue el general Vespasiano, quien después sustituyó a Nerón en el imperio. Cuando Josefo fue derrotado en Galilea, pasó a colaborar con Vespasiano y luego con Tito, su hijo, quien asumió el lugar del padre en la lucha contra la ciudad.

La insurrección de Jerusalén contra Roma surgió en un período lamentable, en época de la fiesta de la pascua. Millares de judíos habían venido de muchas naciones para conmemorarla. Fueron tomados por sorpresa y no imaginaban la tragedia que los aguardaba.

Dos líderes judíos ambiciosos, Juan y Simón, comenzaron a hacer una especie de guerra civil dentro de la ciudad. Saqueaban las casas, quemaban alimentos y querían minar las fuerzas el uno del otro. Con el ataque de los romanos, ellos se unieron. Aprovecharon el hormigueo del pueblo en la fiesta de la pascua para incitarlo contra el imperio romano. Fue un acto de consecuencias inimaginables. Se encerraron en Jerusalén sin tener provisiones suficientes para sostener la revuelta.

Las murallas de Jerusalén eran altas, difíciles de ser vencidas. Tito hacía frecuentes incursiones en vano. Pero, según Josefo, el general romano se burlaba de esos muros y exaltaba la fuerza de su ejército. Al final, decía: "Los romanos son el único pueblo que entrena sus ejércitos en tiempo de paz".

A medida que Tito cercaba Jerusalén y privaba al pueblo de sus necesidades básicas, como alimento y agua, enviaba constantes recados para que los revoltosos se entregasen. En uno de esos recados, criticó la manera como el emperador Nerón trataba a los judíos. Dijo que Nerón había sido un débil ante ellos, pero que él jamás aceptaría ser derrotado.

Jerusalén luchaba por sus derechos, por su libertad y Roma luchaba por su orgullo, por su imperio. El derecho del pueblo de Israel a ser libre y dirigir su propio destino jamás podría ser arrebatado por el dominio de cualquier imperio.

Josefo, aunque fuese prisionero, disfrutaba de gran prestigio delante de Tito. Intentó persuadir insistentemente a los líderes judíos para que se rindiesen, diciendo que era locura aquella empresa. Quería evitar la guerra y la masacre; pero nada los disuadía.

El hambre y la sed fueron aumentando. Algunos judíos saqueaban a los más débiles. Los cadáveres se multiplicaban por la ciudad, exhalando mal olor y produciendo epidemias. Finalmente, el ejército romano prevaleció y se registró una de las mayores atrocidades de la historia.

Jerusalén fue destruida en el año 70 d.C. El saldo de la guerra duele en el alma. Murieron cerca de un millón cien mil hombres, mujeres y niños, víctimas de la guerra y de sus consecuencias. El suelo de esa bella ciudad absorbió la sangre y las lágrimas de muchos inocentes. Una vez más la historia humana se manchó con atrocidades inexpresables.

El general Tito construye el Coliseo

Josefo, después de la guerra, se va con Tito para Roma. Éste es recibido por su padre con grandiosa pompa. Josefo hace elogios del general en sus textos. Lo llama "el valiente general, que después de ver la destrucción de Jerusalén se condolía por ella...".

Josefo lamentó profundamente la destrucción de su pueblo en muchos textos, pero hay otros en que exalta al destructor de Jerusalén y, por eso, fue considerado por los judíos como un oportunista. Es probable que sus textos pasasen por la censura de Roma. Si ése fue el caso, puede ser que sus elogios a Tito no hagan parte de sus reales intenciones.

Josefo fue, así, un interlocutor de Roma para evitar la guerra, pues tenía conciencia de que oponerse al imperio era suicidio. A pesar de todos sus llamados, no tuvo éxito. El imperio romano destruyó completamente la ciudad de Jerusalén. Tito llevó prisioneros a noventa y siete mil hombres para Roma. Después de la muerte de Vespasiano, también llegó a ser emperador, pero por poco tiempo.

Después de destruir a Jerusalén, Tito construyó, durante el imperio de su padre, una de las más hermosas maravillas del mundo, el Coliseo de Roma. Es probable que la sangre y el sudor de los judíos cautivos hayan sido usados en esa construcción. Las inmensas piedras labradas, con toneladas de peso, fueron rigurosamente encajadas para producir el templo de los gladiadores. Quien ha tenido oportunidad de conocer esa magna construcción se encanta con la arquitectura y la ingeniería tan evolucionadas en tiempos tan remotos.

El dolor y la miseria siempre han excitado el campo de la emoción del ser humano que no esculpe su inteligencia con las funciones más nobles. El Coliseo fue un teatro donde la euforia y el miedo llegaron a las últimas consecuencias. Los hombres luchaban entre sí y con fieras hasta la muerte. Una multitud deliraba en la platea mientras una minoría era transformada en animales en el palco escénico. El dolor sirvió de pasto para una emoción que no sabía amar ni valorar el espectáculo de la vida.

Josefo habla de Jesucristo

Josefo es considerado uno de los mayores historiadores de todos los tiempos. Sus escritos se convirtieron en una de las más ricas fuentes de información sobre pueblos antiguos, sobre el imperio romano, otros imperios y el pueblo judío.

Hizo importantes relatos sobre Augusto, Antonio, Cleopatra, los emperadores Tiberio, Calígula, Claudio, Nerón, Vespasiano y Tito, sobre algunos reyes de Siria y otros personajes. Su contribución para que comprendamos el mundo antiguo fue muy grande. A pesar de haber sido del linaje de los fariseos, también hace una descripción sintética, pero elogiosa y sorprendente, sobre la vida de Jesús y sobre los personajes que lo rodearon, tales como el rey Herodes (el que mandó matar al niño Jesús), Arquelao y Pilato. Sus escritos dan veracidad histórica a diversos pasajes de los evangelios.

Los relatos directos y sintéticos de Josefo sobre Jesús expresan cómo Él causaba perplejidad y poseía grandeza en sus gestos y palabras. Describe que en el tiempo de Pilato:

Apareció Jesús, quien era un hombre sabio, si es que debemos considerarlo simplemente como un hombre, a tal punto sus obras eran admirables.

Él enseñaba a los que tenían placer en ser instruidos en la verdad y fue seguido no solamente por muchos judíos, sino por muchos gentiles. Era el Cristo. Los más ilustres de nuestra nación lo acusaron delante de Pilato y Él lo hizo crucificar.

Los que lo habían amado durante su vida no lo abandonaron después de la muerte. Se les apareció resucitado y vivo al tercer día, como los santos profetas lo habían predicho y que haría muchos otros milagros. Los cristianos que vemos todavía hoy, tomaron su nombre de Él*.

Josefo consideraba a Jesús un sabio. De hecho, como vimos, Jesús manifestó las funciones más importantes de la inteligencia, vivió en la cima de la sabiduría. Lo consideraba también un maestro cautivador, pues provocaba en las personas el placer de ser instruidas. Jesús, de hecho, abría las ventanas de sus mentes y ampliaba las posibilidades del pensamiento. Josefo también decía que Jesús había hecho obras admirables y que era más que un ser humano. Tal vez, por eso, haya

---

* Ídem.

afirmado que Él era el Cristo. Su argumento sobre Jesús como el Cristo entra en la esfera de la fe, que, como he dicho, es acuñada por los dichos personales.

Si leemos las obras de Josefo, no hay señal clara de que se haya hecho cristiano. Sin embargo, por tener la osadía de considerar a Jesús como el Cristo, apenas treinta o cuarenta años después de haber sido crucificado, y de relatar que había superado el caos de la muerte por medio de la resurrección, es un indicio de que su vida había pasado por profundas reflexiones existenciales. Tal vez no haya comentado algo más sobre Jesús y sobre los cristianos porque éstos eran intensamente perseguidos en su época.

No era posible dejar de llorar por Él

Después de ver algo sobre la destrucción trágica de Jerusalén ocurrida de treinta años más tarde de la crucifixión de Jesús, tal vez podamos entender mejor lo que Él quería decir a las mujeres que lamentaban su sufrimiento. Estaba preocupado por ellas y por sus hijos y, sufriendo y sin energía, pidió que reservasen sus lágrimas y no se preocupasen por Él.

Parecía que estaba queriendo que ellas se protegiesen y protegiesen a sus hijos. El maestro de la vida debía estar alertando a cada habitante de Jerusalén. Pero todo eso son suposiciones. Jesús tiene secretos que nunca serán revelados completamente ni por el análisis científico ni por la teología.

Andaba titubeante, pero quería enjugar las lágrimas de cada una de aquellas personas. Apenas acababa de hablar y ya los soldados lo seguían empujando sin piedad. Aunque quisiese evitarles el sufrir por Él, esta vez no logró aliviarlas. Les era imposible no sufrir por Él, pues lo amaban. Verlo morir hacía que muriese dentro de ellas el sentido de la vida.

El lenguaje de la emoción

Los hombres que andaban con Jesús aprendieron uno de los lenguajes más difíciles e importantes, el lenguaje de la emoción. Aprendieron a no tener miedo de admitir sus fragilidades y de hablar de sus sentimientos. Aprendieron a no tener miedo de amar y llorar. Las lágrimas son algunos de los códigos del lenguaje encantador de la emoción. Pedro lloró por haberlo negado; Judas, por haberlo traicionado y ahora una multitud numerosa sollozaba desconsolada por creer que iría a perderlo para siempre...[29].

¿Hasta qué punto usted ha aprendido el lenguaje de la emoción? ¿Usted vive represado dentro de sí mismo o sabe expresar sus sentimientos? Nunca olvide que la manera como los otros nos ven y reaccionan ante nosotros se debe, no a lo que somos, sino a lo que expresamos. Hay personas excelentes, pero con pésima capacidad para exteriorizar su amabilidad, su sabiduría, su preocupación por los otros.

Muchos padres, profesores, profesionales liberales, empresarios son excelentes en el contenido, pero tienen grave dificultad para hablar el lenguaje de la emoción y exteriorizar su cultura, sus ideas y sus emociones. Es posible que transmitan una imagen de arrogantes y autoritarios, aunque sean humanos y humildes.

Mientras el maestro del amor caminaba, las personas acompañaban sus pasos lentos. Él vertía sangre mientras andaba y la multitud vertía lágrimas mientras caminaba. ¡Qué escena! Nadie quería llegar al desenlace final: al Calvario. Nadie quería ver el capítulo final de la historia del maestro de la emoción. Verlo herido y mutilado ya era insoportable para aquel pueblo sufrido y sin esperanzas.

Un balance del martirio: cuatro juicios y seis caminatas como criminal

Antes de analizar los acontecimientos que tuvieron lugar cuando Jesús llegó al Calvario, vamos a hacer un balance general de lo que Él sufrió desde que fue puesto preso en la noche anterior en el Jardín de Getsemaní. Hacer ese balance es importante para que podamos ver en qué condiciones físicas y emocionales llegó para ser crucificado.

Los líderes judíos sabían que si no lo condenaban rápidamente la multitud podría rebelarse. Entonces, presionaron tanto a Pilato como a Herodes para que lo juzgaran sumariamente. Cuando Pilato, burlándose de ellos, dijo: "¿He de crucificar a su rey?"[30], los líderes judíos se indignaron. Hicieron lo que nunca habían hecho en la historia, rechazaron a un judío como rey. Dijeron, por primera vez y en voz alta y clara, que César, el emperador romano, era su rey. Los judíos jamás habían aceptado ser gobernados por alguien extraño a su propia raza.

Minutos antes habían preferido al asesino Barrabás en lugar de Jesús, ahora cambian a Jesús por un tirano que estaba en Roma. En realidad, Jesús fue tan rechazado y odiado que usted, o cualquier persona de esta tierra sería más importante que Él para los líderes judíos. Nunca un hombre fue tan despreciado y nunca soportó un comportamiento tan altanero.

Los judíos, años antes, ya habían presentado quejas contra Pilato ante el gran Emperador Tiberio César. Pilato sabía, por tanto, que si dijera a Tiberio que él había tolerado a un hombre que se decía "rey de los judíos", aunque fuese la multitud la que lo proclamase así, no sería perdonado por el emperador, caería en desgracia y perdería el cargo. Pilato sabía que Jesús era inocente, pero no soportó la presión política. Fue infiel a su conciencia y condenó a la pena máxima al más inocente de los seres humanos.

El maestro de la vida hizo seis largas caminatas como reo: caminó del jardín de Getsemaní a la casa de Anás; de la casa de Anás hasta la casa de Caifás; de la casa de Caifás hasta la casa de Pilato; de la casa de Pilato hasta la casa de Herodes Antipas; de la casa de Herodes Antipas nuevamente hasta la casa de Pilato; de la casa de Pilato hasta el Calvario. Jesús era conducido de un lado para otro porque nadie quería responsabilizarse por la muerte del hombre más famoso de Jerusalén.

Fue escupido y humillado varias veces. Fue considerado doblemente falso: falso hijo de Dios y falso rey. Pero no abrió su boca para agredir o hacer reclamos a sus torturadores.

Se sometió a cuatro juicios injustos: en la casa de Anás, en la de Caifás, en la de Pilato y en la de Herodes Antipas. Fue torturado emocionalmente en todos esos juicios. Fue golpeado por tres grupos de soldados. Fue mutilado por los azotes en la casa de Pilato, así como coronado de espinas como si fuese un rey falso y frágil.

No hay relato de que los soldados de Herodes Antipas lo hayan afligido físicamente, sólo emocionalmente.

Permaneció desnudo por lo menos dos veces en público, en la casa de Herodes y en el Calvario. En la casa de Herodes Antipas, Jesús rehusó hablar y hacer cualquier milagro, como le había pedido el gobernador de Galilea. No quería decir ninguna palabra al político asesino y arrogante que había, incluso, cortado la cabeza de su gran amigo y precursor, Juan Bautista.

Bastaba un milagro y sería liberado. Pero fue amigo del silencio. Por causa de su silencio, Herodes lo desvistió, le puso un manto de rey y se burló de Él. Sus soldados lo pusieron en el centro de un picadero y lo provocaron, dieron carcajadas y emitieron gritos histéricos. Solamente alguien que está plenamente convencido de sus valores usa el silencio como sustituto de las palabras. Todas las veces que necesitamos hablar demasiado para convencer a los otros, nos estamos sintiendo inseguros.

Muchos hombres han sido heridos y torturados a lo largo de la historia, pero es probable que nunca un hombre haya pasado por la secuencia de tortura que Jesús padeció. Sin embargo, nunca un hombre fue tan fuerte y seguro en un ambiente en que solamente era posible reaccionar con ansiedad y desesperación.

La ciencia está adormecida en relación a la comprensión del hombre Jesús. Espero que mis colegas científicos de la sicología, de la siquiatría y de las ciencias de la educación puedan tener la oportunidad de estudiar su inusitada personalidad.

La consecuencia de la humillación en el inconsciente

En cada lugar donde Jesús era juzgado, era humillado públicamente. Lejos de las personas que lo amaban, sus enemigos no tuvieron compasión con Él. ¿Usted ha sido humillado públicamente? La humillación pública es una de las experiencias humanas más angustiantes.

Recuerdo una paciente que a los doce años fue humillada por una de sus profesoras. Al hacer un pregunta aparentemente inoportuna, la profesora la ofendió delante de los colegas, diciendo: "Gordita sin inteligencia". Fue suficiente para registrar la ofensa de manera privilegiada en la memoria y someter su personalidad a un calabozo. La joven era sociable e inteligente, pero comenzó a tener bajo rendimiento escolar y a aislarse socialmente.

Todas las veces que le iba mal en los exámenes o que alguien le levantaba la voz, abría la ventana de la memoria donde estaba el registro enfermizo provocado por la profesora y reproducía la experiencia de angustia y sentimiento de inferioridad. Poco a poco desarrolló la depresión y a los dieciocho años intentó el suicidio.

Nunca humille a las personas ni las critique públicamente, aunque estén equivocadas. Elógielas en público y critíquelas en particular, como hacía el maestro de la vida. Padres, profesores y gerentes que humillan a las personas públicamente pueden perjudicar la capacidad intelectual de ellas para siempre.

Humillaciones sociales se pueden perpetuar por generaciones. Tal es el caso de las personas de piel negra.

Hay millones de ellas que todavía sufren inconscientemente las secuelas de la esclavitud. La esclavitud se acabó y las secuelas inconscientes permanecieron. Eso no es transmisión genética, sino existencial, a través del fenómeno RAM (registro automático de l a memoria). El fenómeno RAM registra, desde la más tierna infancia, en los campos de la memoria, millares de imágenes y experiencias que de alguna manera humillan a las personas de color negro.

Incluso las clases sobre la esclavitud, si no fueren transmitidas educando la emoción, de manera que se rescate el dolor que los negros vivieron y se exalte la dignidad de ellos como seres humanos, pueden perpetuar esas secuelas. La transmisión pasiva de las tragedias humanas, como el nazismo, las guerras mundiales, las atrocidades del imperio romano, pueden producir una sicoadaptación inconsciente de los alumnos a ellas, impidiendo la educación de la sensibilidad. Informar es insuficiente para formar. Necesitamos la educación que forma.

Los rechazos sociales se registran de manera privilegiada en la memoria, creando zonas de tensión capaces de controlar nuestra manera de ser y de actuar. Si en el pasado tuvimos experiencias en las que fuimos discriminados, rechazados o humillados, debemos reciclarlas, pues de lo contrario seremos víctimas, y no autores, de nuestra historia.

Debemos aprender con el maestro de los maestros a proteger nuestras emociones. Mientras caminaba por una calle saturada de accidentes sociales, Jesús no reclamaba ni se desesperaba. Las personas podían rechazarlo, pero Él no giraba en torno a lo que los demás pensaban de Él. Era suficientemente fuerte para no hacer de su emoción una lata de basura ni de su memoria un depósito de vergüenza y complejo de inferioridad.

Si usted gira en torno a lo que los demás dicen y piensan sobre usted, es porque ciertamente usted no tiene gran protección emocional. Una mirada sentenciosa puede dañarle el día.

El maestro perdía sangre, pero no perdía su dignidad. Podían amordazarlo, pero era libre en un lugar en que sus enemigos eran esclavos. Nadie lograba desquiciar los fundamentos de su alma.

La secuencia de los acontecimientos

Van Gogh pasó por muchas privaciones y rechazos sociales. Ese genio de la pintura era rico por dentro, pero emocionalmente hipersensible. El impacto de las pérdidas, rechazos y ofensas le causaban grandes turbulencias en el campo de la emoción, lo que hacía que tuviese crisis depresivas. Finalmente, el gran pintor perdió el colorido de su emoción.

Machado de Assis fue un elocuente y poético escritor. Creaba bellos personajes en complejas tramas existenciales. Pero, un día experimentó el caos emocional. Perdió a su amada esposa, compañera de décadas. Con eso, perdió el piso de su seguridad, lo que lo hizo sumergirse en una burbuja de soledad y le arrebató el ánimo de vivir. ¿Quién está libre de pasar por esos trastornos existenciales?

Cierta vez, dicté una conferencia para cerca de ochenta profesores de una universidad. Casi todos eran doctores (PhD). Les hablé sobre los vínculos de la emoción con el pensamiento y de los complejos papeles de la memoria. Esos profesores percibieron que los títulos académicos no bastaban para habilitarlos a navegar con destreza en las aguas de la emoción, superar sus focos de tensión, resolver los conflictos en el aula de clase y cautivar a sus alumnos ansiosos. También comprendieron que, a pesar de que eran ilustres profesores, conocían poco el funcionamiento de la mente y las herramientas que utilizaban en la educación: las ventanas de la memoria, el mundo de las ideas, las zonas de tensión de las emociones.

Nadie vive en un jardín sin espinas. Sin embargo, ¿cuál es el termómetro para verificar si una persona es feliz y bien estructurada? Su habilidad y capacidad para soportar y trascender sus sufrimientos. No la examine cuando ella esté bajo los aplausos de una multitud, sino cuando esté en el anonimato, atravesando pérdidas y fracasos. Una persona feliz no es un gigante, sino alguien capaz de transformar en fertilizante su fragilidad, de usar sus problemas como desafíos y de abrir el abanico de los pensamientos cuando el mundo parece derrumbarse sobre ella.

Diversas facultades han adoptado esta obra: facultades de medicina, sicología, pedagogía. Lo que es interesante es que algunos grandes bancos también están adoptando la colección "análisis de la inteligencia de Cristo" como lectura para sus directores. ¿Por qué ejecutivos de finanzas están leyendo libros sobre la inteligencia del maestro de los maestros? Porque las conferencias de recursos humanos sobre motivación rara vez resisten el calor del lunes. Además, los métodos administrativos, gestión de personas y superación de situaciones de riesgos difícilmente son trabajados en el palco escénico de la mente de los líderes empresariales.

Esos ejecutivos desean conocer algo que tenga raíces, capaz de transformar su manera de ser y de pensar. Esperan, por lo tanto, desarrollar su inteligencia multifocal y espiritual. Por eso se lanzaron a comprender al hombre más fascinante que haya vivido en la tierra, Jesucristo. Quieren conocer sus métodos administrativos, saber cómo abría Él las ventanas de su mente en los focos de tensión, superaba situaciones de altísimo riesgo y desarrollaba las funciones más importantes de la inteligencia.

Jesús siempre superó todos los obstáculos de su vida, solamente murió porque se entregó. El maestro de la vida, independientemente de la cuestión espiritual, fue la persona que más supo preparar líderes. Incluso el abandono de sus discípulos fue un entrenamiento para ellos. Él les había advertido que lo abandonarían. Su alerta preparaba a sus limitados discípulos para que reconocieran sus limitaciones, las superaran y nunca desistieran de sus metas. Tallaba la personalidad de personas difíciles. Las entrenaba, por medio de sus ricas palabras y sus laboratorios de vida, para que fuesen líderes de su propio mundo.

¿Usted sabe invertir en personas y explotar el potencial de ellas? ¿Usted es comprensivo con sus hijos, alumnos y funcionarios cuando se equivocan, causan vergüenza y lo perturban? Su dignidad se revela no cuando usted atraviesa por situaciones calmadas, sino en situaciones tensas y de riesgo. Su habilidad para dirigir y entrenar a personas complicadas en situaciones complicadas es un termómetro de su grandeza.

Capítulo 5

Los preparativos para la crucifixión

Rechazando una bebida entorpecedora destinada a aliviar su dolor

Jesús llegó al Gólgota a las nueve de la mañana[31]. Gólgota significa "lugar de la calavera", por eso recibe también el nombre de Calvario. La multitud estaba llena de pavor y el reo estaba exhausto y profundamente fatigado.

Los gobernadores romanos castigaban con la cruz a sus peores enemigos. El Calvario era un lugar triste y temible que quedaba a las afueras de la ciudad de Jerusalén. Nadie visitaba con gusto aquel lugar. Sin embargo, Jesús penetró en el alma de los habitantes de la ciudad y arrastró multitudes hacia allá.

Los romanos aprendieron el arte de la crucifixión con los griegos y éstos, con los fenicios. La crucifixión era un castigo cruel. El condenado permanecía en la cruz durante largas horas, en algunos casos hasta por dos o tres días, hasta morir de hemorragia, deshidratación, insolación y problemas cardiacos.

El imperio romano usaba la práctica de la crucifixión como instrumento de dominio. Los gemidos de una persona crucificada resonaban por meses en el alma de los demás, generando desesperación y miedo. El miedo los controlaba y los hacía someterse a la autoridad política.

Al llegar al Calvario, los soldados romanos daban una bebida anestésica al condenado: vino mezclado con hiel y mirra[32]. Esa bebida era una chispa de misericordia para con los crucificados. Aliviaba un poco el dolor producido por las heridas de los clavos que lesionaban músculos, nervios, fracturaban huesos y rompían vasos sanguíneos.

Cuando el riesgo de vida es intenso, se cierran los campos de lectura de la memoria y el hombre animal prevalece sobre el hombre intelectual. Nadie conserva la sobriedad cuando es golpeado, y menos cuando es crucificado. Las reacciones instintivas dominaban al condenado a la cruz. Se contraía de dolor y luchaba desesperadamente para esquivar la agonía y la muerte.

Los primeros golpes de los clavos en los puños y en los pies eran insoportables. Golpes de los martillos combinados con gritos de dolor resonaban por el lugar. Algunos se desmayaban, otros quedaban confusos y otros aun sufrían infarto debido al estrés postraumático.

Por causa de la dimensión del dolor impuesto por la crucifixión, nadie rehusaba la bebida anestésica. Sin embargo, Jesús, para sorpresa de los soldados, la rechazó. Rechazó el acto de misericordia de los romanos. ¿Por qué? Por varios motivos. Uno de ellos quería situarse como redentor de la humanidad. Otro no quería perder la conciencia en ningún momento de su martirio. Y todavía otro, se proponía vivir las aflicciones humanas hasta el final.

Muchos no saben, pero la medicina quirúrgica solamente logró avanzar debido al desarrollo de la anestesia. Antiguamente, para operar a una persona, tenía que ser embriagada o recibir un golpe en la cabeza. Muchos morían en el acto operatorio, y eso no solamente por las técnicas deficientes, sino por el intenso estrés causado por los dolores del acto quirúrgico. A medida que el área de la anestesiología avanzó, preparó el camino para el desarrollo de la cirugía.

Jesús no quería estar somnoliento y confuso en el acto de la crucifixión. Conservó su lucidez antes y durante su martirio. Hasta el último latido de su corazón, el maestro de la vida estaba plenamente consciente del mundo que estaba a su alrededor.

Las posibles reacciones sicosomáticas

No estamos programados para morir. Aunque tengamos mecanismos que nos conduzcan al envejecimiento, el organismo no acepta el final de la vida, incluso cuando alguien intenta desistir de ella. Todas nuestras células poseen una memoria genética que clama por la continuidad de la existencia.

¡La memoria genética nos hace huir de todo lo que conspira contra el final! Todos tenemos reacciones sicosomáticas delante de determinados estímulos agresivos que nos imponen riesgos. Se libera más insulina y se desencadena una serie de mecanismos metabólicos que buscan un mayor rendimiento energético de las células para propiciar condiciones para luchar o huir de la situación estresante.

Así, delante de la posibilidad de la muerte, surge un torbellino de síntomas sicosomáticos. El cerebro envía mensajes urgentes al sistema circulatorio. El corazón deja su tranquilidad rítmica, acelera su velocidad, genera taquicardia y aumenta la presión sanguínea. El objetivo es bombear más nutrientes para la musculatura.

Jesús fue acostado en el piso sobre el lecho de la cruz. Independientemente de su naturaleza divina, el hecho es que era un hombre con un cuerpo frágil como el de cualquiera de nosotros. Al ser colocado en la viga de madera, presentó diversos síntomas sicosomáticos.

Horas antes, en Getsemaní, tuvo hematidrosis, sudor sanguinolento[33], un síntoma raro en la medicina que se presenta en el culmen del estrés. Debió presentar una taquicardia intensa, con gran aumento de la presión sanguínea que, a su vez, provocó ruptura de los pequeños vasos de la piel. Esas reacciones eran debidas a la conciencia que tenía del martirio que lo aguardaba. Sabía que moriría sin anestesia. Sabía que tenía que soportar una muerte indigna con la mayor dignidad.

En la cruz insiste en estar plenamente consciente. Sufría mucho, pero permanecía inquebrantable. Los soldados trataban de contenerlo como a todo crucificado, pero no era necesario. El maestro no ofreció resistencia. Los hombres podrían quitarle todo, hasta la ropa, pero no le arrancarían la conciencia. Quería ser libre para pensar, incluso cuando su cuerpo moría.

Nunca debemos exigir un raciocinio sobrio de alguien que está sufriendo. Comprensión y no cobranza, esa debe ser nuestra actitud, pero al mismo tiempo no debemos huir de nuestras pérdidas ni negar nuestros sufrimientos. Si los enfrentamos y reflexionamos sobre ellos, los aliviamos y superamos. Pero todos tenemos límites. No debemos exigir de nosotros ni de los demás una carga mayor de la que soportamos.

Debemos ser sensibles para comprender que cada persona reacciona de una manera diferente frente a sus sufrimientos. La peor que nos puede ocurrir es reaccionar sin pensar. Esa reacción no soluciona el problema y, a veces, causa muchos daños. Eso sucede porque, como dije, bajo el foco del dolor, se cierra el mundo de las ideas y se abre el mundo de los instintos.

La próxima vez que usted vea a alguien que tiene reacciones insensatas, en vez de juzgarlo pregunte qué está sucediendo. Gaste tiempo dialogando con él. Si dialoga, usted lo comprenderá; si lo comprende, será solidario; si es solidario, será menos crítico. Usted será más feliz y las personas tendrán mayor gusto en estar en su presencia. Una persona tolerante educa más y es más agradable que una persona crítica.

Animando a los usuarios de drogas a ser libres

La actitud sólida y valiente del hombre Jesús de no usar una droga anestésica para aliviar su dolor trae una gran esperanza para los usuarios de drogas de todo el mundo.

La farmacodependencia es uno de los problemas de salud pública más graves de la actualidad. La medicina y la sicología tienen menos eficacia en el tratamiento de la farmacodependencia en comparación con otras enfermedades. Sólo hay éxito cuando el paciente desea vehementemente cambiar su historia. De esa manera puede reeditar el film del inconsciente.

El ser humano siempre ha amado la libertad, pero millones de usuarios de drogas se enclaustran en la peor prisión del mundo. El efecto sicotrópico de las drogas, sean estimulantes como la cocaína o fuertemente tranquilizantes como la heroína, crea zonas de tensión en los campos inconscientes de la memoria. Producen la peor cárcel que el ser humano haya inventado, la cárcel de la emoción.

Estar preso por barras de hierro es angustiante, pero estar preso por cadenas en el campo de la memoria es trágico. Con el tiempo, los usuarios de drogas disminuyen su capacidad de controlar sus pensamientos cuando están angustiados, aunque sean personas inteligentes y cultas.

Cuando están con ansiedad, los estímulos estresantes del día a día disparan el gatillo de la memoria, que abre la ventana donde existe la representación de la droga. A partir de ahí se produce un deseo compulsivo de usar una nueva dosis para tratar de aliviar la angustia generada por ese proceso.

Muchos profesionales de salud mental no saben que, después de que se instala la farmacodependencia, el problema ya no es la droga en sí, sino su imagen inconsciente. Si un usuario no termina la novela dentro de sí, un día podrá recaer, pues todavía mantiene vínculos en su memoria.

Es preciso no desistir nunca, aunque haya recaídas. Nadie reurbaniza los tugurios de la memoria rápidamente. No importa el tiempo que dure, lo importante es ser libre. Esa determinación vale para cualquier tipo de trastorno síquico. Llorar sí; desistir de la vida, nunca.

El más amable e inteligente de los seres humanos, Jesucristo, rehusó el uso de drogas para encontrar alivio.

No quiso ser anestesiado. Su actitud es un gran estímulo para los dependientes de drogas. Él deseó ser libre y consciente, sin importarle el precio que debería pagar.

Claro que una persona que está con cáncer necesita el anestésico para aliviarse. De igual manera, una persona que está con un trastorno depresivo o de ansiedad importante, también necesita antidepresivos y tranquilizantes. Pero el uso de drogas sicotrópicas sin necesidad médica conspira contra la libertad de pensar y de sentir. Nunca atente contra su conciencia. La persona que mancha su conciencia tiene una deuda insoluble consigo misma.

Si fuésemos uno de los amigos de Jesús y estuviésemos a los pies de su cruz, habríamos implorado que tomase la bebida anestésica. Tal vez algunos de los que lo amaban y vieron la escena, hayan rogado a gritos: "¡Maestro! Piense un poco en sí mismo. Tenga compasión de usted. ¡Tome el cáliz de misericordia de los romanos!".

No escuchó a nadie, ni el lenguaje de sus síntomas sicosomáticos. ¿Qué amor es ese que ni por dinero, ni por fama ni por cualquier otro motivo vende su propia libertad?

¿Hasta qué punto ama usted su libertad de conciencia y está dispuesto a luchar por ella? Muchos ejecutivos son *workaholic*, viciosos de otro tipo de droga, viciosos del trabajo. No logran hacer cosas por fuera de su agenda. No invierten en lo que les proporciona placer y tranquilidad.

Son óptimos para su empresa, gastan su energía para preservar su salud financiera, pero no invierten en su salud emocional. Viven para trabajar y no trabajan para vivir. ¿Qué clase de libertad es esa? Luche contra todo lo que conspira contra su conciencia y su calidad de vida. Nadie puede hacer eso por usted.

Crucificado desnudo

Como si no bastase toda la humillación que pasó en sus juicios, los soldados le quitaron sus vestidos y lo crucificaron como un espectáculo de vergüenza y dolor. Jesús fue crucificado desnudo, pero muchos no ponen atención en eso. Las ropas eran caras y difíciles de tejer.

La multitud estaba estremecida. Por estar desvestido, vio, con sus propios ojos, el cuerpo agrietado del amable maestro. Las espaldas sangraban, tenía hematomas por todo el cuerpo causadas por los golpes de sus verdugos en la casa de Caifás y de Pilato.

Jesús cuidaba con delicadeza de todas las personas. Nunca pedía cuentas de sus errores, nunca exponía su desnudez, sus fallas. Jamás quiso saber con cuántos hombres habían dormido las prostitutas que lo seguían. Cubría y perdonaba las fallas de todos, pero nadie cubrió su desnudez. Protegió a personas de todos los lugares, pero sus enemigos no le dieron siquiera el derecho de morir con sus vestidos.

El maestro de la vida vivió el colmo de la vergüenza social. Fue humillado como nunca lo seremos usted o yo. Salían gemidos de su boca, pero nadie oyó gritos ni lamentaciones.

Tenemos gran facilidad para reclamar y pésima habilidad para agradecer. Él tenía gran facilidad para agradecer y ninguna habilidad para reclamar. Entre más reclama una persona, más condiciones pone para ser feliz y se aprisiona en su propia red.

Recibiendo el título de rey como burla

Juan fue el único biógrafo que describió con detalles el nombre que Pilato mandó grabar y colocar sobre la cruz de Jesús.

Pilato, odiando a los líderes judíos por presionarlo a condenar a Jesús contra su propia conciencia, mandó colocar encima de su cabeza el título "JESÚS NAZARENO, EL REY DE LOS JUDÍOS"[34]. Esas palabras fueron grabadas en griego (la lengua universal), latín (la lengua romana) y hebreo (la lengua de los judíos).

La palabra "nazareno", asociada al nombre de Jesús, era una expresión de escarnio, pues Nazaret era una humilde ciudad de Galilea, un origen inaceptable para un rey de Israel. Pilato, despreciando el dolor de Jesús, usó su cruz para burlarse de los judíos.

Los líderes rogaron al gobernador romano que no escribiese "rey de los judíos", sino que Él había dicho: "Soy rey de los judíos". Pero Pilato, defendiendo su pobre y débil autoridad, los golpeó diciendo: "Lo escrito, escrito está"[35].

Tal vez Jesús haya sido el único hombre crucificado por Roma que recibió ese título escrito en tres lenguas. Un título cargado de ironía, proveniente de un juicio falso, pero la palabra "Rey" grabada en aquella efigie tenía un fondo de verdad. El maestro del amor no quería el trono político, sino el corazón del hombre. No quería ser temido como Pilato y César, sino amado. Quería ser rey en el espíritu y en los áridos terrenos del alma humana.

El maestro de la vida fue por encima de todo rey de sí mismo, líder de su propio mundo. Reinó en un ambiente en que todos nosotros, intelectuales e iletrados, siquiatras y pacientes, somos pequeños y frágiles súbditos. Reinó sobre el miedo, la inseguridad, el individualismo, el odio. Reinó sobre el desespero y la ansiedad. Por eso, como estudiaremos, reconfortó la emoción de muchos, cuando su alma necesitaba ser reconfortada.

¿Usted reina sobre su mundo o es un mero súbdito de sus ideas negativas, de su ansiedad y malhumor? Si usted no aprende a gobernar sus emociones, podrá ser libre por fuera, pero prisionero por dentro. Nunca deje que sus angustias, fracasos, fallas y ansiedades lo controlen. Jamás se olvide que el mayor gobernante no es el que dirige un país, un estado o una empresa, sino el que dirige, aunque sea con limitaciones, su mundo síquico.

Las mujeres al pie de la cruz

¿Quién estaba más cerca de Jesús en los momentos finales de su vida, sus amigos o las mujeres? Las mujeres. María, su madre; María Magdalena; María, hermana de Lázaro, y tantas otras mujeres que lo seguían estaban a los pies de la cruz. La mayoría de los discípulos se habían retirado, atemorizados. Las mujeres, después de que el maestro salió del pretorio romano, estaban presentes a cada paso de su martirio.

Hablaremos más adelante sobre María, su madre. Quiero aquí mencionar a María Magdalena. Ella era probablemente una prostituta que fue librada de ser apedreada porque Jesús la defendió[36] . Puso en peligro su vida para protegerla, pues ella no era para Él una persona más en la masa de judíos, sino un ser humano único. La acogió y no exigió nada. Ella obtuvo un nuevo significado de vida cuando lo conoció. María Magdalena aprendió a amar la vida, a las personas y principalmente a su maestro.

Ahora ella asistía a su muerte. Magdalena gritaba llorando. Imagínese la escena. Debía tratar de soltarse de la multitud y correr para abrazarlo. Pero muchos la retenían. Sabía que Jesús era dócil y que vivía en función de cuidar las heridas del alma y del cuerpo de los seres humanos. No admitía que aquel que había educado su emoción para tener sensibilidad estuviese muriendo de manera tan insensible.

La angustia de Magdalena hacía coro con el llanto de las otras mujeres. Parecía un sueño que el poeta del amor fuese blanco del odio y de la arrogancia humana. Parecía un delirio que alguien tan fuerte e inteligente muriese como el más vil criminal. Una pesadilla vivida bajo la luz de la víspera invadía a las personas. Jesús había hablado sobre la trascendencia de la muerte, pero ellas lo querían vivo en aquel momento.

Separarse de Él era apagar la chispa de esperanza en una existencia tan breve y tan árida. El desespero de las mujeres y de la multitud en torno sacudía la estructura emocional de los soldados romanos. Debían preguntarse: "¿Quién es este hombre a quien las personas tanto aman?". Nunca un crucificado partió el corazón de personas de tantos orígenes.

El amor hace más fuertes a las mujeres

Los trastornos emocionales, tales como la depresión y la ansiedad, son más frecuentes en las mujeres. Aparentemente, los hombres son más sólidos emocionalmente; se protegen más y sufren menos impactos de los estímulos estresantes que ellas.

¡No es verdad! Las mujeres tienen más trastornos emocionales no porque son más frágiles, sino porque poseen el campo de energía emocional mas dilatado que el de los hombres. Esa característica se debe tanto al contexto genético como, principalmente, al contexto social.

Como investigador del funcionamiento de la mente, quisiera corregir un error que existe desde hace siglos en las sociedades modernas y primitivas que afirma que las mujeres son más frágiles que los hombres. Las mujeres aman más, son más poéticas, más sensibles, se entregan más y viven más los dolores de los demás que los hombres. Además de eso, son más éticas, causan mucho menos trastorno social y cometen menos crímenes que nosotros. Por tener una emoción más rica que la nuestra, ellas tienen menos protección emocional y, por consiguiente, están sujetas a dolencias emocionales.

Las mujeres son, por tanto, paradójicamente más frágiles y, al mismo tiempo, más fuertes que los hombres. Se enferman más en el campo de la emoción porque navegan más lejos. Por eso, no trate de entender las reacciones de las mujeres. Muchos comportamientos de ellas son incomprensibles, van más allá de los límites de la lógica. ¿Quiénes fueron más fuertes, los discípulos o las mujeres que seguían a Jesús? ¡Las mujeres!

Las mujeres estaban a algunos metros de la cruz de Cristo, observando cada gemido que daba y cada gota de sangre que vertía de sus puños y pies. Solamente el joven Juan estaba allí. Pedro, Santiago, Bartolomé, Felipe y todos los demás discípulos estaban recogidos en las casas. Sofocados por el miedo, la ansiedad y el sentimiento de culpa.

Juan, cuando describe la crucifixión de Cristo, ni siquiera cita su nombre, solamente se denomina como "el discípulo amado"[37]. Al hablar sobre ese pasaje, él y los demás escritores de los evangelios rinden un homenaje a las mujeres. ¿Cómo? Citándolas nominalmente: María, madre de Jesús; María Magdalena; María, esposa de Cleofás; Salomé.

¿Por qué las mujeres fueron homenajeadas? Porque aprendieron más rápida e intensamente que los discípulos el bello arte de amar. El amor las hacía fuertes. El amor las hacía osadas, incluso delante del caos de la muerte. ¿Quién cuida más de los padres cuando están ancianos y debilitados: las hijas o los hijos? Normalmente son las hijas. Ellas se dan más, porque aman más.

Un hombre, Jesús, poseyó una emoción más fuerte y rica que la de las mujeres. Nunca se vio a alguien con una emoción tan sólida y amable como la de Él. Fue el más excelente maestro de la emoción.

Las mujeres siempre han sido más fuertes para enfrentar el dolor que los hombres, aunque sean más víctimas de él. Obsérvese que las facultades de medicina están siendo cada vez más dominadas por las mujeres.

Contemplar la muerte de Jesús no era para cualquier persona. La escena era impresionante. Sólo las personas fuertes podrían estar a los pies de su cruz. Sólo el amor sólido era capaz de vencer el miedo. Si no tiene un amor sólido, usted tendrá dificultad para enfrentar determinados obstáculos y para extender sus manos hacia algunas personas.

Hay una historia verídica que tuvo lugar en África. Una madre se enfrentó a un león para salvar a su propio hijo. Su amor por él la hizo más fuerte que la furia de un animal feroz. El amor hace al ser humano capaz de hacer cosas por encima de sus límites. Cuando el amor es grande no hay obstáculo insalvable.

Mientras Jesús era el más fuerte de los seres humanos, sus discípulos discutían entre sí quién era el más grande y quién se sentaría a la derecha o a la izquierda de su trono. Pero cuando asumió plenamente la condición humana y dejó de hacer milagros, huyeron.

Es fácil seguir a un hombre poderoso, pero ¿quién se dispone a seguir a un hombre frágil y debilitado? Las mujeres se dispusieron. Pasaron el test del amor. Los hombres fueron reprobados. Tenemos que aprender con las mujeres el arte de la sensibilidad. Felizmente, tengo cuatro mujeres en mi vida, mi esposa y tres hijas. Ellas cuidan siempre de mí, corrigiendo mi manera de vestir, administrando mi tiempo, dándome cariño y enseñándome a amar.

El único problema es que las mujeres, por tener una emoción más dilatada, suelen ser blanco más fácil de las propagandas y, por eso, a veces, gastan más de lo que necesitan. Pero nadie es perfecto.

Jesús no condenó a sus discípulos por haberlo abandonado ni exigió nada de ellos, simplemente los comprendió. Nosotros somos rápidos para exigir y lentos para comprender.

Ellos desistieron de su maestro, pero el maestro no desistió de ninguno de ellos. ¿Qué maestro es ese que enseña a las mujeres a refinar el arte de amar y que da todas las posibilidades para que los hombres eduquen su emoción?

Las mujeres pasaron el test del amor. Jesús era más importante que todo el oro del mundo, más importante que su propio miedo. En las turbulencias revelamos quiénes somos.

La próxima vez que esté atravesando una crisis social, financiera y emocional, no se olvide que usted será examinado. No reclame, no huya, aprenda a navegar en las aguas de la emoción. Aprenda a amar a las personas maravillosas que están a su lado. Ellas valen más que todo el dinero del mundo.

El síndrome SPA: el enfermarse colectivo

Los hombres del sanedrín y de la política romana quedaban incómodos con los comportamientos de Jesús. Un hombre torturado y a punto de ser crucificado debería estar acompañado por el desespero y la agresividad. Pero la sensibilidad y el coraje residían en la misma alma.

Su postura inquebrantable chocaba a sus enemigos. Ellos lo golpeaban, pero Él los perdonaba. Ellos lo odiaban, pero Él los amaba. Eran intransigentes, pero Él vestía de calma su emoción. El mundo estaba agitado a su alrededor, pero Él, aunque se pusiese ansioso por algunos momentos, inmediatamente se reorganizaba. Nunca hubo virtudes tan bellas exhibidas de manera tan admirable en el palco escénico de la mente humana. Su calidad de vida era extraordinaria.

He hecho investigaciones sobre los niveles de estrés, ansiedad y síntomas sicosomáticos en diversas profesiones. La calidad de vida del ser humano moderno está debilitada. Las personas han sido víctimas del síndrome SPA*, el síndrome del pensamiento acelerado. Ese síndrome no es una enfermedad siquiátrica en sí, aunque pueda desencadenarla. Representa un estilo de vida enfermizo.

La vida ya tiene sus complicaciones y, por tener una mente agitada, que no se desliga de los problemas, nosotros la complicamos todavía más. Cuando descubrí ese síndrome, percibí que es epidémico. Afecta, en diferentes grados, a la gran mayoría de las personas de las sociedades modernas. Sus características son: pensamiento acelerado, cansancio físico exagerado e inexplicable, irritación, déficit de concentración, déficit de memoria, insatisfacción, humor fluctuante, etc.

Quien tiene el síndrome SPA no deja de pensar en los problemas que todavía no se han presentado. Tiene más placer en los desafíos que en las conquistas. Nunca descansa su emoción. No soporta la rutina pues no sabe destilar el placer en las cosas sencillas de la vida. Es frecuente que ataque a personas muy responsables, pero que no saben desacelerar sus pensamientos. Viven para pensar y no piensan para vivir.

---

* CURY, Augusto J. *Você é Insubstituível*. Editora Sextante. Río de Janeiro, 2002.

Muchos colegas científicos no perciben que el mundo está más violento no solamente porque hemos tenido fallas en la educación escolar y familiar, sino también, y principalmente, porque el ritmo de construcción de pensamiento del ser humano moderno se aceleró de un siglo para acá.

En el pasado, el ser humano pensaba a un ritmo más lento, excitaba menos su emoción y desencadenaba menos ansiedad, fluctuación de humor, agresividad, intolerancia a las contrariedades. Hoy, el ser humano no desconecta su mente. Desconecta el carro, la computadora y el televisor, pero no sabe desconectar su mente. Algunos sueñan demasiado y otros tienen insomnio.

Pensar es un proceso inevitable para el *homo sapiens*, nadie logra dejar de pensar, solamente desacelerar y administrar los pensamientos. Hasta la tentativa de dejar de pensar es ya un pensamiento. Pero pensar excesivamente es un problema. Si usted piensa demasiado, ciertamente gasta energía exagerada de su cerebro y tiene como consecuencia una fatiga excesiva. Si su médico no está bien informado, pensará que usted está anémico o estresado y le prescribirá vitaminas. Si usted se alimenta bien, las vitaminas no le ayudarán, pues su problema está en su estilo de vida, usted está con el síndrome SPA.

¿Cuáles son las causas? Una de ellas es el exceso de informaciones. Cada diez años las informaciones se duplican en el mundo. Las otras causas están ligadas con el exceso de preocupaciones sociales, problemas existenciales, actividades sociales y profesionales. Los niños tienen exceso de actividades, no tienen ni tiempo para jugar.

Un niño o niña de siete años tiene más informaciones que una persona anciana de setenta años, de cultura media. Una memoria atiborrada con informaciones frecuentemente poco útiles genera una hiperaceleración de pensamientos y, en consecuencia, el síndrome SPA. Por eso son inquietos y agitados en el aula de clase. También por eso es difícil entrar en el mundo de ellos e influenciarlos. Creen que entienden de todo, pero tienen poquísima experiencia de vida. Confunden informaciones con experiencias. Ahora podemos entender por qué las teorías educacionales y los manuales de comportamiento ya no funcionan.

En la época de Cristo sobrevivir era un arte. Había hambre, miseria, prejuicios y presiones políticas. Sin embargo, la mente de los seres humanos era menos agitada y más tranquila. Había más solidaridad, diálogo, afecto entre las personas. Hoy, el mundo moderno se volvió enfermo.

La paranoia de la estética, la preocupación excesiva con cada gramo y cada curva del cuerpo ha destruido la autoestima de millones de personas, principalmente de los adolescentes y de las mujeres.

La paranoia de ser el número "uno" genera una competencia predatoria que ha consumido los mejores años de vida de funcionarios y ejecutivos. La paranoia del consumismo ha hecho que innumerables personas vivan en función de necesidades que no son prioridades. Todas esas situaciones invaden la mente humana y estimulan excesivamente los fenómenos que leen la memoria y construyen pensamientos* generando el síndrome SPA.

Los medios de comunicación, tan importantes para la democracia y la libertad de expresión, terminan por producir un efecto colateral pernicioso. En la época del maestro de la vida, las personas rara vez sabían las noticias malas que tenían lugar en un radio que sobrepasase veinte o treinta kilómetros de sus casas.

Actualmente, todos los días, las miserias de los varios continentes son traídas a nosotros en cuestión de segundos. Los ataques terroristas, las masacres entre hindúes y musulmanes en la India, los conflictos entre judíos y palestinos penetran no solamente en nuestras casas, sino también en nuestras memorias.

El mundo está demasiado serio. La sonrisa hace mucho tiempo que dejó se ser titular de prensa. Las miserias humanas son ahora los titulares. Por eso, en este libro, mi énfasis no es dado al dolor del maestro de la vida, sino a su capacidad para enfrentarlo, a su habilidad magnífica para brillar en el caos, a su motivación para amar a las personas y vivir a plenitud cada minuto hasta el último suspiro existencial.

¿Usted logra ver más allá de los horizontes de sus problemas y proclamar a pleno pulmón que vale la pena vivir?

Debemos desconectar un poco la TV, cerrar un poco los periódicos y volver a hacer cosas sencillas: andar des-

---

* CURY, Augusto L. *Análisis de la Inteligencia de Cristo – El Maestro de la Emoción*. Paulinas. Bogotá, 2001.

calzo en la arena, cuidar las plantas, criar animales, hacer nuevos amigos, conversar con los vecinos, saludar a las personas con una sonrisa, leer buenos libros, meditar sobre la vida, expandir la inteligencia espiritual, escribir poesías, rodar en el tapete con los niños, reír de nuestra seriedad, hacer del ambiente de trabajo un oasis de placer y distensión.

Aparezca de vez en cuando vestido de payaso delante de sus hijos o de los niños internos en los hospitales. Dé un baño al síndrome SPA. Aquiete su mente, cambie su estilo de vida. Mude su agenda.

¿A las personas les gusta estar con usted? Si usted es una persona agradable, usted es una persona rica, aunque no tenga dinero. Si es desagradable, aunque sea rica, será apenas soportable.

Aprenda con el maestro de la vida a tener una vida social y emocional riquísima. Él era sociable, tenía innumerables amigos, le gustaba participar en fiestas, se dejaba invitar a cenar en la casa de personas que no conocía[38], tenía tiempo para mirar las flores del campo, andaba en la arena, abrazaba a los niños, era un excelente narrador de historias, era un eximio observador de la naturaleza, hablaba de los misterios de la existencia, le gustaba frecuentar jardines, hacía mucho de lo poco, exhalaba felicidad, destilaba tranquilidad, hacía poesía de su miseria. Jesucristo era una persona tan agradable que las personas se disputaban para permanecer a su lado.

Una infancia saludable no garantiza una personalidad saludable

Usted no necesita haber tenido una infancia enfermiza para convertirse en un adulto enfermo, como creían algunos pensadores de la sicología. Basta ser víctima de sus pensamientos negativos y no administrar sus emociones tensas, que los estímulos estresantes del mundo moderno son suficientes para causarle trastornos síquicos.

¿Cómo está su estilo de vida? ¿Será que usted apacigua las aguas de la emoción con serenidad? Cuando niño, tal vez usted fuese apasionado por la vida y viviese sonriendo sin grandes motivos. Pero, ¿y ahora? El tiempo pasó y, hoy tal vez ya no sonría con tanta frecuencia o necesite grandes motivos para animarse.

Una de las cosas que más preocupaba a Jesús era la salud síquica de sus discípulos. Él quería producir hombres libres y no dominados por prejuicios o pensamientos negativos. Al convidar a los hombres a beber de un agua viva que salía de su interior, deseaba que fuesen felices de dentro para fuera. Al animarlos a no ser ansiosos, los estimulaba a dominar la agitación emocional y los pensamientos anticipatorios.

Es posible que usted esté tan ocupado que no encuentre tiempo para hablar con una persona muy importante: usted mismo. Es probable que usted cuide de todo el mundo, pero se haya olvidado de usted mismo. ¿Será que usted no vive la peor soledad del mundo, la de haberse abandonado a sí mismo? Usted organiza su oficina y su casa, pero no se preocupa por eliminar los focos de tensión en su memoria.

¿Será que, debido al síndrome SPA, usted envejeció en el único lugar en que no es permitido envejecer, en su espíritu y emoción? Es preciso romper la cárcel de la emoción. El destino es frecuentemente una cuestión de escogencia. Opte por ser libre. El maestro de la vida dijo de varias maneras que la felicidad es cuestión de transformación interior, de entrenamiento emocional, y no un don genético. No se olvide que muchos quieren el podio, pero desprecian la fatiga de los entrenamientos.

Los parámetros de la normalidad en la siquiatría

Jesús no vivía el síndrome SPA. No sufría por anticipado. Sabía cuándo y cómo ba a morir, pero gobernaba sus pensamientos con increíble habilidad. Hizo de su capacidad de pensar un arte. Tenía plena conciencia de que si no cuidaba de la cantidad y calidad de sus pensamientos, no sobreviviría. Sucumbiría por la ansiedad, pues muchos conspiraban contra Él.

Era tan consciente de la necesidad que tiene el ser humano de ser líder de sus pensamientos, que inauguró la sicología preventiva casi dos mil años antes de que existiese la sicología moderna. Se proponía que sus discípulos aquietasen sus pensamientos y no viviesen en función de los problemas que todavía no habían tenido lugar.

¿Qué determina lo que usted siente? Lo que usted piensa. Son los pensamientos los que determinan la calidad de su emoción. Si usted es una persona que produce frecuentemente pensamientos tensos y negativos, no espere que vaya a tener una emoción alegre y segura. Si usted no logra disminuir la velocidad de construcción de sus pensamientos, no espere que vaya a tener una emoción tranquila.

A no ser por el uso de drogas o alteraciones metabólicas, las emociones son derivadas de los pensamientos, aunque ellos no sean bien definidos y conscientes. Recapitulando: lo que usted piensa determina lo que usted siente; lo que usted siente determina la calidad de lo que registra en su memoria; lo que usted registra en su memoria determina las bases de su personalidad.

En siquiatría los límites entre lo normal y lo patológico (enfermo) son muy tenues. ¿Qué es una persona síquicamente normal o enferma? Antiguamente muchos fueron injustamente tachados como locos, porque simplemente se apartaban del patrón trivial del comportamiento social. Debemos respetar la cultura, la religión, las características de personalidad y hasta los manierismos de los demás. Si usted no es capaz de respetar a las personas que lo rodean porque son diferentes de usted, entonces no será capaz de respetarse a sí mismo, pues no se perdonará cuando falle o perciba que no es perfecto... Ese respeto se deriva del hecho de que no tenemos parámetros seguros de lo que es normal y anormal en la mente humana.

¿Pero será que no podemos establecer parámetros universales para la sanidad síquica, capaces de trascender los dictámenes culturales? Sí, aunque con limitaciones. Esos parámetros derivan de las características más nobles de la inteligencia y sustentan la preservación de la vida y la paz intra y extrasíquica: la tolerancia, la solidaridad, la amabilidad, la inclusión, la flexibilidad, la sensibilidad, así como la tranquilidad en las dificultades, la seguridad en los objetivos, el respeto por las diferencias culturales, la capacidad para ponerse en el lugar de los otros y percibir sus dolores y necesidades, la capacidad de superación de las pérdidas y frustraciones.

Si consideramos esos parámetros para establecer la sanidad síquica, entonces confirmaremos que el maestro de la vida alcanzó el apogeo de la salud emocional e intelectual. Vivió a plenitud todas esas características.

Él probablemente fue el único que tuvo la capacidad de llamar a un traidor, Judas, amigo y darle una oportunidad preciosa para que reeditase su biografía en el acto de la traición. Fue el único que disculpó a los seres humanos indisculpables, mientras moría agonizando. Fue el único que abrió todas las ventanas de su mente, cuando sólo era posible reaccionar por instinto animal. Él habló palabras inefables, a pesar de que su boca estaba llena de edemas y sangrando.

Capítulo 6

La primera hora:
cuidando de su Padre
y perdonando
a hombres
indisculpables

Un hombre que hizo poesía en el colmo del dolor

Un día, un ilustre poeta, llamado Ferreira Gullar, dijo en una entrevista que el dolor físico es paralizante, no inspira la poesía. Tenía razón. No es posible producir ideas brillantes cuando el cuerpo está sometido al dolor físico, pues los instintos prevalecen sobre la capacidad de pensar.

El dolor emocional puede ser creativo cuando el humor triste y la ansiedad no son intensos. En ese caso, la creatividad, sea por la producción de un texto filosófico, una poesía, una escultura, se vuelve una tentativa intelectual de superación. La mente crea para superar el dolor y airear la emoción. Quien no crea en el dolor, represa su emoción.

Si el dolor emocional o la ansiedad son intensos, se cierra el campo de lectura de la memoria y se aborta la capacidad de pensar. Por eso, rara vez alguien escribe un libro o produce cualquier otra arte si está en una profunda crisis depresiva. Varios filósofos y pensadores de las ciencias brillaron en el mundo de las ideas cuando estaban angustiados, pero trabaron la inteligencia cuando estaban deprimidos.

Un poeta puede ser creativo cuando su dolor emocional es mediano, pero se queda estéril cuando está con dolor físico. Las cefaleas, los cólicos, las heridas físicas, los dolores de diente u otros dolores orgánicos trituran la creatividad. No espere ningún raciocinio profundo de alguien que está con las raíces nerviosas afectadas.

Vamos a analizar el comienzo de la crucifixión de Jesús. ¿Será que Él nos va a sorprender esta vez? ¿Se puede esperar de Él algo más allá del desespero, de gritos de dolor? Desde el punto de vista sicológico es humanamente imposible producir pensamientos altruistas en la cruz. Sin embargo, este hombre una vez más sacude los fundamentos de la sicología. Fue poético, afectivo, profundo y solidario.

El maestro de la vida logró tener reacciones que ni siquiera los más nobles humanistas tendrían cuando están en plena salud. En el ápice del dolor físico y emocional, produjo las más bellas poesías de solidaridad. Por eso, fue sin duda un gran poeta de la vida. ¿Qué hombre es éste que logra cultivar las más bellas flores en los más intensos inviernos? ¿Qué hombre es éste que, castigado por la sed, procura humedecer el alma de los afligidos?

Traté a diversos pacientes del más alto nivel cultural, di entrenamiento a sicólogos y conferencias a millares de educadores, ejecutivos, médicos y otros profesionales, pero nunca observé a alguien con características de personalidad cercanas a las del maestro de los maestros. Hay un mundo bello y complejo que palpita dentro de cada persona, pero el alma del maestro de Nazaret no era simplemente bella, sino inexpresable, encantadora.

Jesús desplegó llamaradas en una noche oscura y sin luna. Sus palabras sonaban como gotas de rocío en una tierra seca de sensibilidad. Es probable que muchos lectores se convenzan de que, aunque sea la persona más famosa del mundo, es también la menos conocida.

Si los seres humanos estuviesen saturados por la grandeza de su humanidad, habría más felicidad y menos tristeza en nuestro bello planeta. La guerra por algunos acres de tierra y los conflictos entre las religiones serían extirpados. El perfume de la solidaridad sería exhalado entre los pueblos.

El maestro de la vida pertenece, no a un grupo de personas o a una religión, sino a toda la humanidad. Muchos cristianos piensan que Jesús sólo vino para ellos, pero Él vino para todos los pueblos. Todos son dignos de conocer y amar al poeta del amor. El apóstol Pablo criticó la actitud sectaria de algunos que se decían de Cristo y excluían a los demás[39].

Él vino para los judíos, para los budistas, para los hindúes, para las tribus africanas, para los ateos. Mahoma exalta a Jesús en el Corán. Él también vino para los árabes. En su plan trascendental no hay distinción de color, raza, religión, cultura.

Profiriendo ocho frases y un grito en la cruz. Las seis horas más importantes de la historia.

Durante su vida, Jesús nos dejó perplejos y, durante su muerte, nos dejó atónitos. Libre, pronunció palabras que no cabían en la imaginación humana y, crucificado, profirió frases que no caben en el diccionario de los más nobles humanistas.

Cualquier persona que pretenda comprender más profundamente los fenómenos existenciales y desarrollar las funciones más importantes de la inteligencia, en la cual se incluye la educación de la emoción, el arte de pensar, el arte de exponer y no imponer las ideas, debe gastar tiempo para comprender los últimos suspiros de Jesucristo.

Fue crucificado en la hora tercia del día[40] : el día de los judíos comenzaba a las seis de la mañana. Por tanto, la hora tercia del día corresponde a las nueve de la mañana del horario moderno. Fueron seis horas de misterios, de las nueve de la mañana hasta las tres de la tarde. Nunca una mañana fue tan dramática y nunca una tarde fue tan aflictiva.

En esas seis horas, profirió ocho frases y emitió un grito final. Estudiaremos una a una todas las frases y sus implicaciones. Cuatro de ellas las profirió en las primeras tres horas y las cuatro últimas las profirió ya próximo al último latido de su corazón.

Fue la primera vez que se describió en la literatura que un Padre amó intensamente a su hijo y lo vio morir lentamente sin hacer nada. El Padre tenía todo el poder del mundo para rescatar a su hijo, pero se calló. El hijo imploró que el Padre no interviniese. ¿Qué misterio hay detrás de ese inmenso escenario? Vale la pena sumergirnos en ese análisis, aunque haya muchas limitaciones para hacerlo.

Primera frase: "Padre, perdónalos porque no saben lo que hacen..."

¿Quién fue crucificado primero, Jesús o los criminales a su lado? No lo sabemos. Si fue por orden, primero fue crucificado un criminal, después Jesús y, en seguida, otro criminal a su lado. Jesús estaba en el centro. No cometió injusticia, pero le dieron un lugar preeminente.

Los primeros minutos de un trauma son los más dolorosos. El primer ladrón sudaba frío, estaba taquicárdico, desesperado y se movía sin parar tratando de soltarse de los clavos. Producía clamores ensordecedores. Sus gritos resonaban por todo el Calvario: "¡No! ¡No hagan eso conmigo! ¡Por el amor de Dios, suéltenme!". Se volvía un niño que suplica protección de sus padres, pero nadie lo oía. Todas sus células reaccionaban instintivamente tratando de preservar la vida.

Algunas de sus palabras eran comprensibles, pero la mayoría eran apenas sonidos. Luchaba desesperadamente para vivir. Sus manos no se colocaban sobre la cruz. Los soldados lo golpeaban y lo aseguraban. Sin obtener clemencia, su emoción fue invadida por el terror. Odió a los soldados, la vida y el mundo.

El primer clavo penetró profundamente en su puño. Quedó confuso por el súbito dolor, el mundo se oscureció, sintió vértigo y todo se puso a girar en torno a Él. Lloraba y braveaba sin parar. Ya no era un hombre en la cruz, sino un animal rabioso. Los demás clavos fueron más fáciles. Al ser levantado y fijado de pie, intentaba desclavarse. Se movía sin parar y, cuanto más se movía, más rozaban los clavos las raíces nerviosas de los puños y de los pies. El resultado era un dolor insoportable. El anestésico romano que había bebido aliviaba pero no extirpaba su dolor.

En la primera hora quedó perturbado. El estrés postraumático producido por los clavos le perturbó la conciencia. No se podía entender lo que decía. Daría el mundo entero a cambio de la paz. Si tuviese otra oportunidad, volvería al pasado, se arrastraría por el suelo, sería el mejor de los seres humanos, pero no querría el dolor de los clavos.

Llegó el turno de Jesús. Varios soldados lo sujetaron. Trataban de contenerlo como al primer criminal, pero no fue necesario. Siempre fue gentil y nunca se esquivó de sus enemigos. Él mismo debe haber colocado sus puños y sus pies sobre el madero. Sufría como cualquier mortal, pero no tenía miedo del dolor.

Los soldados no entendían sus reacciones. ¿Qué disposición tenía ese hombre para ser clavado en la cruz si no había tomado anestésico? Jesús estaba también con el corazón acelerado, sudaba bastante y estaba acezante. Dominaba su cuerpo como un maestro dirige una orquesta. Los instintos estaban exacerbados, pero Él rescataba el liderazgo del yo y conservaba la lucidez, segundo a segundo.

Los soldados colocaron el clavo sobre su puño, levantaron el martillo y de una sola vez lo clavaron en el madero. El maestro del amor gimió de dolor, pero no odió a los soldados ni la vida. Los soldados deben haber quedado aterrados. Él sufría sin gritar, no se debatía ni se esquivaba. Nunca fue tan fácil crucificar a un hombre. De esa manera crucificaron al único ser humano que sabía cuándo y cómo iría a morir, que preveía que moriría con las mismas herramientas con que siempre había trabajado.

Una frase inimaginable

Debería estar emitiendo gritos de dolor. Sus gemidos eran intensos, pero silenciosos. Ninguno de sus biógrafos relató desespero. Describieron que su alma estaba profundamente angustiada en la noche en que fue preso, pero en la cruz nadie relató lo que se esperaba, una ansiedad voluminosa e incontrolable.

Parecía que, después de prepararse para beber su cáliz, Él también se había preparado, con increíble habilidad, para su caos. Su respiración estaba acezante. Su cuerpo estaba trémulo de dolor y buscaba constantemente una posición confortable apoyándose en sus pies. Pero no había zona de alivio, toda posición era insoportable.

En la primera hora en la cruz, era imposible pensar, raciocinar o producir cualquier idea inteligente, qué decir de una idea afectiva. Sin embargo, cuando todos esperaban que en el colmo del dolor Jesús aboliese su lucidez, Él se recuesta en la cruz, siente dolores por esa maniobra, llena sus pulmones y proclama en alta voz: "Padre, perdónalos porque no saben lo que hacen"[41].

El maestro de la vida debería estar confundido por el estrés postraumático, pero estaba plenamente consciente. Analicé innumerables veces esa frase. No fue inventada por sus biógrafos, incluso porque es sintética, no se proponía ostentación. Además de eso, es poco probable que sus discípulos la hayan entendido plenamente durante sus vidas. Al contrario, creo que jamás será comprendida plenamente por nosotros, pues, como estudiaremos, encierra fenómenos que están entre los bastidores de la cruz. Concluí que esa frase escapa completamente a la lógica intelectual.

Algunas personas son especialistas en conquistar enemigos. Por no ser flexibles y por buscar que el mundo gire en torno a sus verdades, están siempre enfrentando problemas con aquellos con quienes conviven. Otras son más sociables, pero pierden completamente la gentileza cuando están estresadas o frustradas. A veces, se controlan con los de afuera, pero son agresivas e intolerantes con sus familiares.

En la historia, la tónica fue siempre excluir a los enemigos. Para los amigos, la tolerancia; y para los enemigos, el desprecio y el odio. Sin embargo, hubo un hombre cuyas reacciones estaban completamente en contravía de la historia. Jesucristo miraba a las personas, incluso a sus enemigos, más allá de la cortina de sus comportamientos. En el colmo del dolor, todavía lograba comprenderlos, tolerarlos e incluirlos.

¿Quién podría imaginar a un personaje como fue Él? Ni la filosofía, en sus delirios utópicos, logró idealizar a un hombre como el maestro de los maestros.

Ocho grandes implicaciones de la primera frase de Cristo

Los textos son claros. Jesús dijo una de sus más célebres frases, tal vez la más importante de ellas, en el culmen de su dolor, en la primera hora de su crucifixión.

Al clamar: "Padre, perdónalos porque no saben lo que hacen", Jesús resume en pocas palabras su gran misión, su proyecto trascendental y las entrañas de su ser. Ese pensamiento es sobremanera elevado, posee tantas vertientes que, como dije, es imposible entenderlo a plenitud.

Esa frase preparó el camino para que produjese otro pensamiento más incomprensible todavía. Sólo que este fue verbalizado en los últimos minutos de su vida. En Él, Jesús se vuelve atribulado hacia Dios y pregunta por qué lo abandonó. Estudiaremos todos esos pensamientos detalladamente.

La primera frase y las circunstancias en las cuales la profirió tienen tantas implicaciones que son dignas de un libro. Voy a tratar de resumirlas destacándolas una por una. Esas implicaciones representan algunas de las piedras preciosas más importantes que descubrí en la historia del hombre Jesús.

Primera: los bastidores de la cruz

La primera implicación está implícita. Al mencionar la palabra "Padre" en el primer pensamiento, Jesús indica que, además de los acontecimientos exteriores de la cruz, como la viga de madera, su desangramiento, los soldados, la multitud, existían otros acontecimientos que estaban por detrás del escenario.

Al citar a su Padre en una acción verbal ("Padre, perdónalos"), reveló que para Él había un personaje invisible que era el principal espectador de su caos. Jesús era una persona misteriosa. Los demás criminales estaban atormentados, pero Él estaba mirando un filme que nadie veía. En ese filme, su Padre era el actor principal. Nadie veía lo que Él veía y nadie lograba entender lo que pasaba por su mente.

Había millares de personas asistiendo al espectáculo de su muerte. Estaban apretujadas, cercanas unas de las otras. Allí estaban también algunos fariseos, escribas y sacerdotes acompañando sus últimos momentos. Lo provocaban desafiando su poder.

Jesús estaba debilitado, pero parecía que su mente y su espíritu permanecían concentrados en su Padre. Él encontraba energía atrás del escenario. La multitud estaba profundamente abatida y angustiada, pero había alguien entre bastidores que estaba reaccionando y sufriendo más que toda la platea visible. ¿Qué misterio es ese?

Segunda: El Padre no era un delirio producido por el estrés

¿Quién es Dios? ¿Por qué se esconde detrás de la cortina del tiempo? ¿Por qué no muestra claramente su rostro? Creó billones de galaxias con millones de planetas y estrellas en cada una de ellas. El universo es grande, pero nuestras dudas sobre el Autor de la existencia son todavía mayores.

Muchos creen en Dios con facilidad. El mundo, con todos sus fenómenos, es una obra espectacular que revela su grandeza. Para ellos, Dios firma esa obra cuando las flores se abren en la primavera, cuando las nubes visten el cielo y derraman agua para irrigar la tierra, cuando los pájaros alimentan a sus crías sin olvidar nunca la dirección de sus nidos, cuando una madre abraza a su hijo y lo ama aunque él se equivoque y la frustre mucho.

Otros tienen dificultad para creer en Dios. Sumergen sus ideas en un mar de dudas e indagaciones. Algunos se declaran ateos. Aunque no haya ateos puros, pues todo ateo radical se sitúa como un dios. ¿Por qué? Porque, aunque no conozcan todos los fenómenos del universo, no entiendan los límites de la relación tiempo-espacio y nunca hayan participado en acontecimientos por fuera del paréntesis del tiempo, afirman categóricamente que no hay Dios, y entonces ellos se hacen dioses. Pues sólo un dios puede tener esa convicción.

Yo ya tuve esa convicción. Para mí, Dios era fruto de nuestra imaginación. Hoy, al conocer el funcionamiento de la mente humana y analizar los detalles de la personalidad de Jesucristo, pienso que creer en Dios es un acto inteligentísimo. Todos los pueblos desearon encontrar a Dios, no como señal de flaqueza, sino para refinar una de las inteligencias más importantes de la humanidad y que siempre fue despreciada por las ciencias: la inteligencia espiritual.

La inteligencia espiritual es respaldada en la creencia en Dios para nutrir la esperanza de rescatar un día la identidad de la personalidad cuando la muerte destruya de manera irreversible la colcha de retazos de la memoria que sustenta la construcción de pensamientos y la conciencia de quiénes somos. Es la esperanza de ser libre para seguir ejerciendo el arte de pensar a través de la continuación del espectáculo de la vida. Aunque discurra sintéticamente sobre la inteligencia espiritual, hago aquí un análisis sicológico. Los caminos que dependen de la fe deben ser trillados según la conciencia de cada lector.

El maestro de la vida siempre discurrió sobre la continuación del espectáculo de la vida. Siempre puso la existencia de Dios como un hecho consumado. Era tan atrevido y seguro que decía claramente que el creador del universo era su propio Padre[42]. ¿Estaba delirando cuando afirmó eso? ¿El estrés de la cruz lo hacía pasear por las rayas de la imaginación? ¡No!

Nadie puede acusarlo de delirio ni antes ni durante el terror de la cruz, pues Él exhaló, como ningún otro hombre, el perfume de la sabiduría, de la humildad, de la inclusión y del respeto humano. Jesús siempre fue coherente en sus ideas. Dijo, no sólo cuando estaba libre, sino también cuando todas sus células morían, que tenía un Padre. Eso le da una credibilidad sin precedentes en las palabras dichas antes de morir.

Cuando Él hablaba sobre Dios y sobre la relación que mantenía con Él, no dejaba margen para dudas. Sus convicciones eran sólidas[43]. Para Cristo, el universo con millones de acontecimientos, fenómenos y principios físicos y metafísicos no surgió por casualidad. Era fruto de un gran Creador. Ese Creador permanece entre los bastidores de su creación, no le gusta, como a nosotros, ostentar y alardear sus hazañas. Quiere ser encontrado por los que conocen el lenguaje del corazón.

El universo es una caja de misterios. A cada generación lo comprendemos de manera diferente. Las verdades científicas de hoy dejan de ser verdades y asumen nuevos ropajes con los nuevos descubrimientos. ¿A usted no le parece que su vida es un misterio? El tejido íntimo de su alma esconde innumerables secretos que ni usted mismo comprende. De hecho, usted, yo y el universo entero somos misteriosos.

Si el universo es una caja de secretos, imagínese cómo debe ser misterioso su Autor. Si su Autor es misterioso imagínese cómo es misterioso el hecho de que ese Autor tenga un hijo. El único que no logra quedar perplejo con las biografías de Jesús es quien nunca abrió las ventanas de su mente y de su espíritu para comprenderlas.

Jesús y su Padre siguen siendo un gran enigma para los teólogos y científicos. Conocemos solamente la punta del iceberg de la realidad y de la relación entre los dos. Imagine la escena. Dios creó un universo que nos deja boquiabiertos. Él es detallista para crear las gotas de rocío y poderoso para crear en el espacio los agujeros negros que destruyen planetas enteros.

Aunque el Creador sea tan grande en poder e inmenso en sabiduría, su Hijo estaba agonizando en la cruz. ¿Quién puede explicar ese misterio? ¿Cuáles son los fundamentos del amor que hicieron que ambos se sacrificasen de manera insoportable por una humanidad desprovista de sensibilidad?

Cualquier padre se desesperaría al ver a su hijo sangrando y sufriendo. Muchos, sin verlos heridos, ya sufren tanto por ellos. Imagínese las emociones que pululaban en el espectáculo de la muerte de Cristo. En la platea había lágrimas, pero entre los bastidores de la cruz había sollozos inaudibles. Un personaje invisible estaba sufriendo desconsoladamente por su hijo. Dios estaba llorando...

Tercera: Una relación íntima entre el Hijo y el Padre

La tercera implicación de la primera frase de Jesús se refiere a la relación íntima de Él con su Padre. Las reacciones inteligentes que tuvo en su martirio fueron tan fascinantes que parecía que había alguien de afuera que lo estaba sosteniendo.

Mientras estaba libre, oró muchas veces. Sus oraciones eran abiertas, afectivas, espontáneas, en fin, construidas a través de un diálogo profundo y poco comprensible para nosotros.

El carpintero de Nazaret tenía acceso libre al Autor de la vida. Jesús era elocuente, seguro, sabio, enfrentaba sin miedo el mundo y la muerte. La relación con su Padre lo sostenía. Los escritores de sus cuatro biografías no describieron esa relación pero la insinuaron en muchos textos[44].

Es difícil para la sicología interpretar la relación entre el Padre, Dios, y su Hijo, Jesús. Las dificultades de interpretación son enormes, pues los elementos son pocos, pero lo poco que podemos avanzar es fascinante. Es igualmente fascinante saber que no solamente la teología, sino la sicología, tal vez por primera vez, esté analizando con respeto esos acontecimientos.

Tenemos pocos elementos para investigar, tan pocos como la teología. No piense que a Jesús no le gustaba ser investigado. Algunas veces hasta instigaba a las personas para que lo investigaran. Cierta vez, dijo: "¿Qué dice el pueblo que soy yo?"[45]; otra vez dijo: "¿Qué piensan ustedes del Cristo, de quién es hijo?"[46]. No quería seguidores ciegos, sino personas que lo conociesen y que, al conocerlo, lo amasen.

¿Usted aprecia que las personas lo investiguen o se considera intocable? ¿Usted tiene el coraje de preguntar a sus hijos, amigos y colegas de trabajo qué piensan de usted? Quien no nos conoce profundamente no tiene condiciones de mantener una relación íntima y afectiva con nosotros. El amor no es cultivado en terreno baldío, sino en suelo cultivado.

Vea los secretos que orientaban la relación de Dios con su Hijo. El Padre era invisible, el Hijo era visible. Uno trataba de agradar al otro. El Hijo elogiaba constantemente al Padre, el Padre decía que Jesús era su Hijo amado[47]. ¿Quién puede desenredar las tramas de esa relación? La relación social entre ellos es tan compleja y espléndida que no fue prevista en los compendios de la sociología.

El diálogo entre el Padre y el Hijo, en los bastidores de su cruz, se acerca a lo inimaginable. Hay indicación de que debe haber tenido innumerables diálogos con su Padre y solamente exteriorizó y fueron registrados algunos. Ellos estaban unidos y se amaban profundamente. El uno se preocupaba constantemente por el otro, uno procuraba agradar al otro. ¡Jamás se vio una relación tan afectiva!

Ambos poseen características de personalidades semejantes. Sin embargo, la personalidad de ellos se aparta completamente de las características de las nuestras, independientemente de nuestra cultura y condición social. ¿Qué características son esas?

El Padre estaba entre los bastidores del teatro de la vida, el Hijo estaba en el palco. Nadie vio al Padre, pero el Hijo lo reveló[48]. Cuando todos esperaban que el Hijo revelase claramente al Autor de la vida y resolviese nuestras dudas sobre los misterios de la existencia, he aquí que seguimos confusos. ¿Por qué? Porque el Hijo posee características de personalidad que se apartan de los límites de la lógica humana. Son tan bellas que desconciertan la sicología. Veamos.

El Hijo podría querer tener vasallos y servidores, pero prefirió el calor de los animales. Podría desear ser el más eminente intelectual, fundar la más brillante escuela de pensamiento, pero prefirió tallar maderas y posteriormente mezclarse con un grupo de pescadores.

Podría tener la comodidad de un palacio, pero prefirió dormir a la intemperie. Ahora, una vez más, confunde nuestra mente. Era de esperarse que en la cruz odiase a sus verdugos y desease exterminarlos. Sin embargo, para sorpresa nuestra, reúne las pocas fuerzas que le quedan para defenderlos. Dijo "Padre, perdónalos...". ¿Cómo es esto posible?

"Perdónalos" ¿por qué? ¿Qué motivo tenía Él para perdonarlos? ¡Ninguno! Los mismos hombres que lo crucificaron fueron los que se burlaron de Él y lo azotaron en la casa de Pilato. ¿Quién es ese hombre que aún dilacerado por el dolor consigue amar?

Cuarta: las limitaciones del Todopoderoso: la locura del amor

Dios es omnipresente. El tiempo no existe para Él. Está en todo tiempo y en todo lugar. Es el alfa y la omega; está, por tanto, en las dos puntas del tiempo, en el comienzo y en el final[49]. Nuestra frágil mente no logra imaginar su grandeza... Aunque el tiempo no exista para Él, cuando su Hijo murió, el tiempo paró por primera vez.

Las seis horas de la crucifixión fueron más largas que todo el tiempo transcurrido en la eternidad pasada. ¿Cuánto tiempo transcurrió en la eternidad pasada? Millones de años son fracciones de segundos. La matemática entra en colapso al lanzarse en los cálculos sobre la eternidad pasada, así como sobre la futura.

Dios también es omnisciente. Está en todo tiempo y en todo lugar. Tiene conciencia instantánea de millones de acontecimientos y fenómenos. Somos intelectualmente limitados, construimos un pensamiento y nos concentramos también en un acontecimiento a la vez. Pero el Dios descrito en las Escrituras es ilimitado. Sin embargo, al ver morir a su Hijo, probablemente se olvidó del universo y concentró toda su energía en sus sufrimientos.

Dios también es todopoderoso u omnipotente. Es autoexistente. Su naturaleza es eterna e increada. Su poder no tiene límites. Hace todo lo que quiere según el designio de su voluntad. Sin embargo, aunque su poder no tenga límites, tuvo la experiencia de una limitación jamás vivida. Tenía todo el poder para salvar a su hijo, pero no lo hizo. ¿Por qué? Cualquier padre con tantas limitaciones afectivas daría el mundo para salvar a su hijo, pero ¿por qué Dios no lo hizo?

El Hijo se dispuso a morir por la humanidad. En la cruz sirvió de justicia para el ser humano, a fin de que éste pudiese tener acceso a la vida eterna. ¿Cómo es posible eso? ¿Por qué no idearon un plan que exigiese menos sacrificio de ellos mismos? ¿Por qué sufrieron hasta el límite de lo inimaginable? No hay explicación científica para eso. El amor es ilógico.

Si usted tiene a alguien a quien ama y ese alguien está sufriendo, tal vez usted cometa locuras de amor para llegar hasta Él. Cuando analicemos el dolor de María y la preocupación de Jesús con ella, contaré una experiencia en la que una de mis hijas corrió peligro de muerte. Yo asistí a la escena y viví el colmo del desespero. Pude entender un poco el mundo incomprensible del amor...

Hay padres que se quedan sentados en el lecho de su hijo por días y días cuando éste se halla internado en un hospital. No cierran sus ojos cuando sus niños corren peligro de muerte. El amor es el único sentimiento que nos lleva a olvidarnos de nosotros mismos y a darnos sin medida. La sicología todavía está dormida en la comprensión del campo de la emoción. Ese campo nos diferencia de las computadoras y de cualquier máquina que podamos inventar. La matemática de la emoción nos hace ser una especie única.

¿Dios tiene lágrimas? No sabemos. Pero ciertamente lloró mucho. El tiempo se detuvo y el universo quedó pequeño. Fue la primera vez en la historia que un Padre vio morir a un hijo y no pudo hacer nada por Él, aunque tuviese todas las condiciones para ello.

¿Quién estaba sufriendo más: el Hijo o el Padre? ¡Piense en eso! Es difícil responder. No hay peor sufrimiento para un Padre que ver morir a su hijo, y todavía más en forma agonizante. Y no hay peor dolor que morir en una cruz, principalmente si se mantiene la lucidez y se expresa ternura. Ambos estaban contorciéndose de amor y de dolor.

Nunca la especie humana fue amada colectivamente de manera tan intensa. Si los palestinos y los judíos fuesen apasionados de esa manera por la especie humana, de la noche a la mañana cesarían las lágrimas de dolor y las de la solidaridad irrigarían los suelos de Jerusalén.

¿Podría haber muchos otros caminos para que el Autor de la vida y su hijo rescatasen a la humanidad? Tengo limitaciones para decirlo, pero es posible afirmar que, para justificar a la humanidad, ellos escogieron la más inefable sinfonía de amor. Nunca el amor alcanzó niveles tan sublimes. Nunca un ser humano fue tan especial, a pesar de sus fallas y fracasos.

Quinta: controlando los instintos y abriendo las ventanas de la mente

El primer pensamiento verbalizado por Jesús parece haber sido un pensamiento que interrumpía un diálogo con su Padre y no algo aislado, suelto. Parece que esa frase fue una interrupción de la acción de su Padre. Permítame imaginar el complejo escenario que estaba presentándose entre los bastidores de la cruz. Pido al lector que me disculpe si hay fallas en este análisis, pues me siento un pequeño pensador delante de lo infinito.

El Padre veía que Jesús moría, cada gemido calaba hondo en su alma. Él estaba respirando rápido, acezante y gimiendo de dolor. Entonces, de repente, parece que el Padre no aguantó más. Tal vez haya dicho algo así como: "Hijo, ¿qué hicieron los seres humanos contigo? Yo te amo intensamente y no soporto más el verte sufrir. Los seres humanos llegaron a las últimas consecuencias de la injusticia al crucificarte. Nosotros amamos a la humanidad, pero tu cáliz es demasiado amargo. Voy a terminar tus sufrimientos. Voy a juzgar a tus verdugos y a toda la humanidad".

Entonces, el Hijo, contorciéndose de dolor y con los ojos empañados, tal vez haya dicho algo más bello y conmovedor que lo que yo logro decir: "Padre, tú los amas. No te preocupes por mí, no los condenes. Yo clamo por ellos. Olvida mi dolor. No sufras por mí".

Recuerde que Él cuidó de Judas, de Pedro, de la multitud que se golpeaba el pecho mientras Él caminaba en dirección al Calvario. Ahora, el más dócil de los hijos cuida de su Padre.

Las gotas de sangre brotaban de su cuerpo y cada vez le era más difícil respirar. No había posición confortable. Si procuraba inclinar su pecho y su cuerpo para relajarse, no lograba tener fuerzas para ampliar sus pulmones y respirar. Si procuraba recostarse en la cruz para respirar, tenía que hacer un gran esfuerzo para un cuerpo debilitado, además de ser castigado con el aumento del dolor. Su rostro se contraía constantemente reflejando que era imposible conservar la serenidad.

El Padre, viendo que la agonía de su Hijo se intensificaba, resuelve intervenir de manera definitiva. Cuando el Hijo percibe la intención del Padre de condenar a los seres humanos, entra en desespero. Acomoda sus espaldas en el lecho de la cruz, llena sus pulmones y verbaliza su pensamiento para ablandar el dolor de su Padre y defender a la humanidad. Proclama: "Padre, perdónalos porque no saben lo que hacen". Perdonar está en imperativo. Refleja su clamor delante de la acción inminente del Padre que juzga a sus enemigos y a la humanidad emocionalmente confundida.

Enseguida, Jesús se recoge en su interior y tal vez sollozando haya dicho silenciosamente, para que solamente su Padre lo oyese: "Tómame como sacrificio por la humanidad. ¡Yo la amo y muero por ella!".

Implorar el perdón del Padre a favor de la humanidad fue un pensamiento tan saturado de emoción que escapó de la mente de Jesús y obtuvo sonoridad. Todos nosotros hemos producido pensamientos que han obtenido sonoridad. Hubiéramos querido que ellos se quedasen en el palco de nuestras mentes, pero salieron al palco del mundo por la carga emocional que han tenido.

El Hijo interrumpió a su Padre. Asumió la condición de cordero de Dios que redime al mundo de sus injusticias. Era lo que el Todopoderoso quería oír. El amor del Hijo limitó la acción de Dios, pero no los hizo más pequeños sino inimaginablemente más grandes. De ese modo, el Hijo sostenía al Padre y el Padre sostenía al Hijo. Juntos fueron nutridos por el amor del uno para con el otro mientras eran molidos por las transgresiones humanas.

Solamente el amor puede hacer que produzcamos actos inolvidables. Usted puede ser un brillante pensador, pero si no tiene amor, sus actos serán como el bronce que retiñe, pero sin vida. El amor todo lo sufre, todo lo espera, jamás desiste, pues da todas las oportunidades para comenzar todo de nuevo[50].

La organización de las ideas y la estructura emocional que Jesús presentó en el colmo del dolor se escapan de los límites de la comprensión de la sicología. Hubo grandes mentes en esta tierra, tales como Sócrates, Platón, Spencer, Kant, Hegel, Galileo, Einstein, pero ninguno reaccionó como Jesucristo.

Después de que Él transitó por esta corta existencia, la vida obtuvo un nuevo significado, la existencia conquistó un nuevo sentido. Hasta los sufrimientos obtuvieron una nueva pintura en el complejo cuadro de la vida.

Sexta: las lecciones de complacencia con hombres intolerantes

El maestro de la vida asistió a la más excelente universidad, la escuela de la existencia, la escuela de la vida. Vivió una concentración de experiencias que sólo podrían ser vividas si condensásemos la historia de millares de personas.

Fue honrado como nadie y humillado como pocos. Su inteligencia iba más allá de los límites de los pensadores, pero su humildad era más refinada que la de los moribundos de su sociedad. Era sólido emocionalmente, pero sabía llorar y confesar su angustia. Cuando era abandonado, no reclamaba, pues sabía hacer de la soledad una invitación para la reflexión.

Vivió la gloria de los reyes y el anonimato de los miserables. Solamente una persona tan despojada, agradable y altruista podría acordarse de aquellos que no tuvieron piedad de Él. ¿Qué hombre es éste que no excluyó a nadie?

Sus energías deberían estar totalmente concentradas en su dolor y en la preservación de su vida, pero tenía una habilidad nada común para pensar en los otros y no en sí mismo.

Séptima: mirando más allá de la cortina del sistema social

Jesús disculpó a seres humanos indisculpables. ¿Por qué? ¿Cuál fue el secreto que usó para perdonar? Durante años he oído a mis pacientes con dificultad para perdonar a aquellos que los han herido. Hacían el intento, pero no siempre lo lograban. En ciertas oportunidades procuré ayudarles, pero muchos fallaron.

Algunos jamás olvidan las ofensas causadas por sus padres, profesores, amigos de la infancia, vecinos, colegas de trabajo. Llevan consigo cicatrices profundas en su memoria. Me convencí de que perdonar no es fácil. Sin embargo, cuando comencé a estudiar detalladamente la primera frase de Jesús en la cruz, se abrieron mis ojos.

El secreto para perdonar no es intentar perdonar, sino comprender. No se esfuerce por perdonar a quien lo ofendió, invierta su energía en comprenderlo. Si usted comprende sus fragilidades, inseguridad, infelicidad, reacciones inconscientes, usted lo perdonará espontáneamente. Para perdonar es necesario también que podamos comprender nuestras limitaciones y tener conciencia de que estamos sujetos a muchos errores. Es mucho más fácil perdonar, reeditar la imagen inconsciente de las personas que nos ofendieron cuando salimos de nuestro trono.

Cuando usted comprende los conflictos y la miseria emocional de las personas que lo ofenden y lo frustran, tiene fuerzas para perdonarlas y buscar el bienestar de ellas. Aunque Jesús estuviese diciendo a Dios que perdonase a la humanidad, lo peor de la humanidad estaba representado por los soldados y por los hombres que se burlaban de Él al pie de su cruz. No había ninguna base y ningún motivo para perdonarlos. Para perdonarlos tuvo que ir demasiado lejos en su raciocinio.

¿A dónde fue? A un territorio que sólo algunos ilustres filósofos recorrieron, y, aún así, pocos. Fue más allá del horizonte de los comportamientos de sus enemigos y vio que el sistema social estaba entorpeciendo la capacidad de pensar y de ser verdaderamente libre para decidir.

Como excelente observador de la sicología y de la filosofía, comprendió que los hombres que lo juzgaban y lo crucificaban estaban anestesiados por el sistema social, religioso y político. Anestesiados por una droga más poderosa que aquella que le querían dar para disminuir sus sufrimientos.

La droga química encarcela la emoción. La droga del sistema entorpece el alma, produce una cárcel imperceptible. Los actos terroristas y las violencias urbanas son provocados cuando el sistema social o una ideología aprisionan el alma y empequeñecen el valor de la vida.

No piense que la droga del sistema sociopolítico no nos entorpece también. Cuando gastamos horas y horas oyendo a los personajes de la TV, pero no gastamos minutos en conversar con nuestros hijos, estamos entorpecidos por el sistema. ¿Será que sabemos lo que estamos haciendo cuando luchamos por dar el mundo a nuestros jóvenes, pero nos olvidamos de darles nuestra historia de vida y nuestro tiempo?

Cuando trabajamos con ansiedad, sólo vemos dinero delante de nosotros y no reflexionamos sobre la temporalidad de la vida, estamos drogados por el sistema. En un instante estamos vivos y en otro cerramos los ojos. ¿Será que la brevedad de la vida no es capaz de invitarnos para que marquemos un encuentro con la sabiduría?

¿Dónde están las personas más libres del sistema? En los velorios. Frecuentemente las personas que están en un velorio tratan de reflexionar sobre sus vidas y de corregir sus rutas existenciales.

Los religiosos que juzgaron a Jesús creían que estaban dando culto a Dios. Por otro lado, los soldados que lo crucificaron pensaban que estaban prestando un servicio al imperio romano. Todos ellos tenían aparentemente actitudes correctas, pero sus actitudes eran controladas inconscientemente por el sistema. Pensaban, pero no eran libres para pensar.

Sea libre para pensar. Trate de cuestionar el fundamento de sus actitudes. A veces usted cree que está haciendo cosas para agradar a Dios, pero puede estar cometiendo actos absurdos, inhumanos. A veces usted cree que está defendiendo la moral o la ética social, pero puede estar destruyendo personas.

Jesús logró, en el culmen de su dolor, disculpar a seres humanos indisculpables, pues comprendió lo que muchos pensadores apenas arañaron. Comprendió el papel del sistema en el proceso de construcción de pensamientos y en la confección de las reacciones humanas. Para Él, los soldados no sabían lo que hacían cuando cumplían la orden condenatoria de Pilato, ni los fariseos cuando lo ridiculizaban.

Si Él perdona a semejantes hombres, ¿podrá haber límites para su capacidad de perdonar? ¿Qué hombre es éste que no da tregua al amor?

Octava: el arte del perdón como refrigerio para el alma

Llegamos a la última implicación de la primera frase de Jesús en la cruz. Hay otras, pero me detendré aquí. Su capacidad de perdonar refrigeraba su alma y lo convertía en el más suave de los seres humanos. Cuando pidió al Padre que perdonara a sus enemigos, ya los había perdonado primero. Nadie tenía ninguna deuda con Él.

Él canceló todo el odio por ellos. Rasgó el "duplicado" de la arrogancia, prepotencia y orgullo de los hombres que lo hirieron. En lo que de Él dependiese, nadie tendría ninguna deuda con Dios. Nosotros con frecuencia abandonamos a las personas, pero Él jamás lo hace. Todos somos aptos para ser sus amigos.

Freud y Jung eran dos amigos. Jung colaboraba con el padre del sicoanálisis. Freud era una persona muy sociable. Escribía millares de cartas a sus amigos. Pocas personas cultivaban amigos como él. Sin embargo, su paciencia y tolerancia tenían límites bien definidos. Un día él tuvo problemas con las ideas de Jung. No las aceptó porque no seguían las vías teóricas que él había trazado. Entonces una bellísima amistad llegó a su fin. La amistad de ellos no soportó el calor de sus diferencias*. Excelentes relaciones entre amigos, colegas de trabajo y en las parejas, terminan, a veces, porque las personas no saben tolerar y superar pequeños defectos de los demás. Cuando una de las personas de la relación es hipersensible, las críticas o actitudes del compañero producen un impacto tan grande que ellas no logran administrarlo.

---

* FREUD, Sigmund. *Os Pensadores*. Editora Nova Cultural. Río de Janeiro, 1978.

Perdón y comprensión no son atributos de los débiles, sino ingredientes universales para el éxito de las relaciones interpersonales, sea entre intelectuales o entre miembros de tribus primitivas. Sin la sicología del perdón, las personas que nos decepcionan se van volviendo "monstruos" en el terreno de nuestro inconsciente. Si esa imagen "monstruosa" es grande, será capaz de controlar nuestro encanto por la vida, desempeño social e intelectual, principalmente si convivimos cotidianamente con ella.

¿Cuál es la mayor venganza contra un enemigo?* Ya comenté que es perdonarlo. Si usted lo comprende, lo perdona. Si lo perdona, él muere dentro de usted y renace ya no como enemigo. En el caso contrario, él dormirá con usted y le robará el sueño, comerá con usted y destruirá su apetito.

Jesús era una persona flexible. Transitaba por la vida de manera descomplicada. Muchos complican demasiado su vida. Si alguien bloqueaba la puerta de entrada, Él no gastaba energías con el enfrentamiento, buscaba las ventanas. Cuanto más le cerraban la puerta de entrada, más abría las ventanas del fondo. ¿Usted busca las ventanas o está siempre optando por el enfrentamiento? Gaste menos energía, es más fácil abrir las ventanas. Comience por abrir las ventanas de su mente.

El más excelente maestro de la emoción murió sin tener ningún enemigo. Jesucristo murió sin guardar rencores de nadie. Se puede deducir que ni siquiera tenía

---

* CURY, Augusto J. *Análisis de la Inteligencia de Cristo – El Maestro de los Maestros*. Paulinas, Bogotá, 2001.

cicatrices inconscientes en su memoria. Fue el más libre de los seres humanos.

Todos mis elogios al maestro de la vida en los libros de esta colección no son exagerados, son más bien tímidos. Intenté varias veces criticar sus comportamientos, pero es imposible criticarlo. Desafío a los demás científicos a que lo analicen. Pero les doy un aviso: ese hombre contagia nuestra emoción.

Una increíble historia de amor

Hay un pasaje en la biografía de Jesús que sintetiza la increíble historia del amor de Dios hacia la humanidad. Dice así: "Porque tanto amó Dios a la humanidad que entregó a su único hijo, para que todo aquel que cree en Él no perezca, sino que tenga la vida eterna"[51]. Vamos a dejar de lado la cuestión religiosa y a atenernos al contenido jurídico y sicológico de ese pasaje. Parece de fácil comprensión, pero reúne complejidad y generosidad.

Cuando usted tiene dinero, el banco no lo molesta, pero si usted tiene una deuda, se vuelve inolvidable. Toda la deuda del ser humano ante Dios es cancelada en un momento. Todos los procesos jurídicos son archivados inmediatamente por el acto de Cristo en la cruz. Nuestras fallas inmensas y continuas son aniquiladas por el acto de un hombre. Nunca fue tan fácil tener acceso a la eternidad.

Pagamos caro un plan de salud, pero Dios ofrece gratuitamente una vida sin enfermedades y eterna. Pagamos caro el seguro del carro y un plan de previdencia, pero el Autor de la vida y su único Hijo nos ofrecen el mejor plan de previdencia, una vida feliz, inagotable y por los siglos, sin cobrar nada de cada uno de nosotros, solamente que creamos. Ese es el mejor negocio del mundo.

No se exige del ser humano ninguna perfección, solamente comprensión y compasión, pues la exigencia de la perfección recayó sobre Jesús. Ningún sacrificio es solicitado, pues el Padre y el Hijo ya se sacrificaron al máximo por la humanidad. Plantaron el trigo, lo cultivaron, recogieron los granos, los molieron, hornearon el pan y ahora nos lo ofrecen, generosamente, sin ningún esfuerzo. Solamente es necesario que tengamos apetito y abramos la boca.

Trabajaron para aniquilar nuestros sentimientos de culpa, las cicatrices en nuestras memorias, las zonas de tensión en nuestro inconsciente y, además de eso, nos sumergen en una esfera de placer inagotable.

La cruz fue la prueba solemne del amor de Dios. Claro que, por ser nosotros temporales, vemos la muerte y los sufrimientos como cosas monstruosas. Pero Dios debe ver la muerte y los sufrimientos solamente como una gota en la perspectiva de la eternidad. A pesar de eso, ningún padre tendría el valor de ver a su hijo agonizando en una cruz. Era más fácil para el Padre tomar Él la cruz que ver al Hijo tomarla. Nadie podrá jamás acusar a Dios de no amar al ser humano a quien creó.

Hay dos clases de Dios. Un Dios que creó al ser humano y un dios que los seres humanos crearon. El que creó al ser humano es solidario, ama incondicionalmente, defiende, protege, alivia, incluye, se preocupa. El dios que los seres humanos crearon juzga, condena, excluye, ama condicionalmente, se preocupa más con algunos que con los otros. Sin tener en cuenta nuestra religión, es conmovedor ver el esfuerzo descomunal del Dios bíblico por alcanzar al ser humano. Dio lo que tenía más precioso para rescatarlo: a su único hijo.

Aunque supiese que era eterno y que sus sufrimientos tendrían fin, era infinitamente más fácil dar todo el dinero del mundo, ofrecer todas las estrellas del cielo, implantar todos los tesoros del conocimiento en la memoria humana y gastar millones de años para dictar millones de clases sobre ética y justicia a cada ser humano.

El amor lo hizo cometer actos que van más allá del límite de lo inimaginable. Desde el punto de vista sicológico, es imposible ir más lejos... Es ilógico e incomprensible lo que Dios y su Hijo hicieron por la humanidad. Jamás la capacidad de amar alcanzó niveles tan altos. En realidad, ellos agotaron todas las posibilidades del amor.

CAPÍTULO 7

La segunda hora: ridiculizado públicamente

$\mathcal{D}$esafiado a los pies de la cruz

Para la cúpula judía, era inconcebible que el Dios que los sacó de la tierra de Egipto, que les dio la tierra de Canaán y que fue profetizado con elocuencia por innumerables profetas y alabado por diversos salmistas, estuviese delante de ellos representado por su hijo. El Hijo del Altísimo no podría estar en la piel de un carpintero.

Un carpintero que construye objetos de madera no podría ser el enviado por el Arquitecto del universo. Un galileo nacido en un establo y que creció en una ciudad despreciable, que no tuvo el privilegio de estudiar a los pies de los escribas y de los fariseos no podría jamás ser el Cristo, el Mesías esperado desde hace tantos siglos por el pueblo de Israel.

La historia y los comportamientos de Jesús perturbaban la mente de los líderes de Israel. Miraban su apariencia y su origen e inmediatamente lo rechazaban. Aunque Isaías en el capítulo 53 hubiese descrito con precisión quirúrgica, en los años 740-680 a.C.*, por tanto cerca de siete siglos antes de la venida de Jesús, los

---

* (Nota del Traductor) Según la mayoría de los exegetas, aquí se trataría del llamado Segundo Isaías, que escribió en torno al año 550, y por tanto cerca de 600 años antes de la venida de Jesús.

detalles sociales y sicológicos de Cristo, la cúpula judía sintió aversión por sus comportamientos.

La dictadura del prejuicio impidió que ellos fuesen buscadores de los tesoros escondidos en el carpintero de Nazaret. Diversos fariseos se encantaron con Jesús, pero la mayoría lo condenó sin valorarlo.

Si la cúpula judía hubiese aceptado a Jesús como el Cristo, habría tenido que acercarse al pueblo, despojarse de su arrogancia y hacer todo lo que Él hacía. Habría tenido que perdonar incondicionalmente, aceptar en sus mesas a personas viles, tratar las heridas de los leprosos y ser complaciente con personas socialmente no recomendables. Esa actitud era inconcebible para los guardianes de la moral.

Irrespetando su dolor

La segunda hora de la crucifixión fue de las 10 a las 11 de la mañana, que era de las 4 a las 5 horas del día para el pueblo judío. Aunque Jesús estuviese pereciendo, los soldados romanos y los líderes judíos no le daban sosiego.

Su presencia dócil y tranquila incomodaba a sus enemigos. Gritaban como si estuviesen desafiando a la persona más fuerte del mundo. "¡Sálvate a ti mismo, si eres el Hijo de Dios! ¡Desciende de la cruz!"[52]. Los gritos saturados de rabia y de sátira golpeaban su emoción, pero Él se mantenía en silencio. No tenía fuerzas y no quería reaccionar.

Algunos más exaltados comentaban entre ellos: "¡Si eres el rey de Israel, desciende de la cruz y creeremos!".

El joven Juan oía asombrado las agresiones contra su maestro. Los milagros de Jesús, sus palabras arrebatadoras y su negativa a hablar sobre su identidad instigaban a sus enemigos a provocarlo.

Nunca provoque a una persona herida, pues puede reaccionar como animal. Cuando estamos ansiosos y angustiados, cualquier ruido se convierte en una provocación. Gran parte de las violencias y de los asesinatos ocurre cuando una persona ansiosa se siente provocada. En el tránsito, personas calmadas pueden actuar con extrema violencia cuando están tensas. Algunas llegan a usar armas. La única persona que podía ser provocada sin ningún riesgo de violencia era Jesús.

Él perturbaba la mente de sus opositores. De hecho, era extraño que alguien que hizo tantos milagros para ayudar a los demás se negase a hacer alguno en provecho propio. La relación íntima y misteriosa con su Padre era su único alivio.

Todos tenemos algunos conflictos

Me acuerdo de una paciente que oyó comentar a su madre que la había encontrado en una caneca de basura. La madre estaba charlando, pero la niña interpretó y registró de manera distorsionada su comportamiento. Nunca olvide que el registro de la memoria no se da por las intenciones de los otros, sino por la interpretación de sus comportamientos.

La niña se sintió rechazada y no comentó nada con su madre. Comenzó a pensar que su madre le hacía un gran favor al criarla. Desconfiaba de que ella era hija adoptiva, aunque los padres adoptivos suelen ser muy afectuosos, hasta excesivamente. La palabra ingenua de la madre fue registrada de manera privilegiada en los archivos de su memoria. Todas las veces que le hacía una broma se sentía rechazada. De esa manera creó una imagen distorsionada de su madre y del mundo.

Esa imagen distorsionada y dilatada queda disponible para ser leída, generando una hiperaceleración de pensamientos que, a su vez, son registrados de vuelta en la memoria agrandando la imagen inconsciente, generando una zona de tensión enfermiza.

A través de ese mecanismo, una cucaracha puede convertirse en un monstruo. Una taquicardia en un ascensor puede generar una claustrofobia. Una ofensa puede producir un bloqueo mordaz. Todos nosotros somos afectados por ese proceso. Es probable que cada uno de nosotros tenga algunos trastornos síquicos generados por Él, aunque no lo notemos.

Cuidado con lo que usted habla con sus hijos y alumnos. Cuidado con las palabras. Sepa que determinados gestos y palabras pueden penetrar en los territorios del inconsciente y contribuir para que un alma humana se convierta en una tierra seca y árida. Nunca menosprecie la capacidad de interpretación de un niño, nunca menosprecie los sentimientos de una persona.

Si usted tiene que criticar a alguien, no lo haga antes de elogiarlo. Cuando usted lo valoriza, Él abre las ventanas de su memoria y, de esa manera, puede recibir su ayuda. Pero si lo critica secamente, traba su inteligencia. Todo lo que usted diga, por más correcto y elocuente que sea, será una intromisión. La agresividad y la crítica seca desde los comienzos de la humanidad nunca contribuyeron para la educación de la emoción, pero insistimos en ese camino. Hasta en los diez mandamientos hay nobilísimos elogios a la vida. La síntesis de todos ellos habla del amor: amar a Dios y amar al prójimo.

Jesús sabía abrir las ventanas del alma y del espíritu de las personas. Sabía incluso encantar a las multitudes. Su capacidad incondicional de amar y elogiar la vida lo transformaba en una persona feliz y tranquila. Tenía muchos motivos para reclamar del mundo, pues fue el más injustamente tratado de los seres humanos. Tenía todos los motivos para rechinar los dientes contra los que se burlaban de Él en la cruz, pero no esperaba nada de nadie, ni de sus íntimos esperaba retorno. Cuanto más lo torturaban las personas, más deseaba abrazarlas y hacerlas mirar más allá de la cortina del sistema social.

En Él sólo había palabras de elogio para la vida. Cuando protegía o defendía a alguien, amigo o enemigo, íntimo o desconocido, daba testimonio de que la vida es bella incluso cuando no hay flores en los jardines. La medida en que usted elogia la vida, determina la intensidad con que sentirá el frío de sus inviernos.

CAPÍTULO 8

La tercera hora:
cuidando de un
criminal y viviendo
el mayor de los sueños

En la tercera hora, sólo había espacio para la confusión mental. El maestro ya había sido golpeado durante toda la noche. No le dieron agua ni comida. Llegó a la cruz en un estado diferente de los otros dos criminales. Estaba deshidratado, exhausto, herido y con graves problemas circulatorios, pues había perdido mucha sangre.

Su corazón trataba de mantenerlo vivo y consciente aumentando intensamente su velocidad. Ese esfuerzo buscaba llenar el cerebro con nutrientes, en caso contrario desmayaría y renunciaría a la comprensión de los acontecimientos.

Era de esperar que su capacidad de raciocinio estuviese mutilada. Mientras su cuerpo luchaba para mantenerlo vivo, Él iluminaba su mente y producía palabras y gestos increíbles.

En la segunda hora, como vimos, fue escarnecido y provocado por sus opositores. ¡Su respuesta fue el silencio! Ahora, en la tercera hora, cuando ellos le dieron tregua, verbalizó tres tipos de pensamientos admirables. Esos pensamientos expresaron un cuidado afectuoso con un criminal, con su madre y con su amado discípulo Juan.

El criminal se vuelve hacia el maestro

Imagine la escena. Muchos fariseos, que eran versados en el Antiguo Testamento, habían desafiado a Jesús mientras era torturado en la cruz. Para ellos, Jesús no pasaba de ser un impostor, pues no reaccionaba ante las provocaciones.

Mientras todos lo escarnecían, de repente un criminal hizo un reconocimiento inimaginable. Al encontrarse en el Calvario, ese criminal vio a Jesús sangrando por toda la cabeza. Al quitarle la ropa, vio sus espaldas laceradas y su cuerpo cubierto de hematomas. Sobre su cabeza, una corona de espinas. Jesús no daba señales de ser hombre fuerte, sino un hombre flaco y debilitado, por lo tanto era casi imposible no considerarlo un miserable.

Con todo, para sorpresa nuestra, el criminal vio algo más allá de los hematomas y de su fragilidad. Observó que el hombre que estaba muriendo a su lado no era un hombre común, sino un rey. Un rey con un poder que iba más allá de los límites de la comprensión humana. Un rey que poseía un reino invisible, pero real. El criminal imploró a Jesús que se acordase de él cuando estuviese en su reino[53]. Él logró ver algo que nadie veía.

Pedro juzgaba que su maestro era fortísimo, cortó la oreja de un soldado delante de una escolta, pero cuando lo vio golpeado, lo negó delante de una criada. Si hubiésemos estado allá nos habríamos comportado como él.

En la cruz, Jesús era digno de compasión, pero un criminal lo trató como a un rey. Un rey que vencería la muerte, que introduciría su reino en la humanidad. Un rey que era miserable en aquel momento, pero que un día, cuando las puertas del tiempo se cierren, mostrará su fuerza y su vigor. A lo largo de la historia, muchas personas han amado a Jesús porque han logrado ver lo que nadie ve: las flores en el invierno. Los campos que blanquean en un ambiente de piedras y arena.

Bastó una palabra del criminal en dirección al maestro de la vida para que lo alcanzase. El criminal no necesitó humillarse y confesar sus errores, solamente reconoció que aquel que moría a su lado era un rey.

La reacción de Jesús fue acogerlo sin pedir nada a cambio. Esa fue siempre su actitud durante su trayectoria. Cada vez que una persona se volvía hacia Él, aunque fuese una prostituta, la acogía sin coaccionarla. No quería saber detalles de su historia, no especulaba sobre sus fallas, no la controlaba, sino que procuraba confortarla y sumergirla en una esfera de placer y libertad[54].

Nos gusta controlar a las personas, pero al maestro de la vida le gustaba hacerlas libres. Muchos padres quieren dar la mejor educación a sus hijos, pero, en vez de ayudarlos a ser libres para pensar y decidir con madurez sus caminos, les dan reglas rígidas para poder controlarlos. Esas reglas, además de no funcionar, causan rebeliones e intrigas.

De esa manera, los jóvenes quedan sin preparación para vivir en la escuela de la vida. Así, fácilmente usan drogas o adquieren conflictos emocionales delante de las turbulencias existenciales. Por otro lado, varios hijos usan drogas y tienen conflictos, aunque sus padres sean excelentes educadores.

Igualmente, muchos ejecutivos quieren que el mundo gravite en torno de ellos. Controlan todo en la empresa, personas y actividades. Sin embargo, por no conocer el funcionamiento de la mente humana, no saben que la construcción de pensamientos es incontrolable. La mejor dirección que podemos dar es hacer que las personas administren sus pensamientos, entrenarlas para pensar antes de reaccionar, observando las consecuencias de sus comportamientos.

Ni siquiera Hitler controló a los judíos en los campos de concentración. Fue inhumano con ese hermoso pueblo. Controló la ración y los pasos de los judíos, les impuso el hambre y la miseria, pero no controló sus ideas, sus pensamientos. No controló su sueño de libertad.

Nadie controla los pensamientos de nadie. Cualquiera que concentre poder no tendrá poder sobre la mente de los demás, aunque les haga agachar las cabezas. El alma es un territorio de libertad. El único verdugo de nuestras almas somos nosotros mismos.

Jesús conocía la mente humana como nadie. Tenía conciencia de que el pueblo de Israel, aunque tuviese las leyes de Moisés y elevadas reglas de conducta, estaba saturado de injusticias, discriminación, intolerancia y múltiples formas de agresividad. ¿Cómo solucionar lo que la ley no logró hacer? Actuando en el funcionamiento de la mente, en las matrices de la memoria, en el centro de la energía emocional. Eso fue lo que Él hizo.

En el mundo, todo el problema de la violencia aflora. Los secretarios de justicia de las sociedades democráticas no saben qué hacer para solucionar el drama de la violencia escolar, social, familiar. Prisiones, batallón de policías, medidas de tolerancia cero, fiscalización y leyes no resuelven definitivamente el problema, cuando mucho lo suavizan. La educación y la transformación interna del ser humano es clave.

El maestro de la vida sabía que si no se transforma al ser humano interiormente, no hay solución. Como dije, puso a sus discípulos en la escuela de la vida e hizo varios laboratorios de inmersión, como educación de la emoción, de la superación, de la autoestima, de la sicología preventiva, del entrenamiento del carácter. Esos laboratorios no fueron hechos después de su muerte, sino mientras andaba y respiraba con ellos. En cada una de sus parábolas y en cada circunstancia que vivía conducía a sus discípulos hacia el interior de la práctica de las funciones más importantes de la inteligencia. Cada una de esas prácticas era un entrenamiento de la escuela de la vida.

Entre esos laboratorios estaba el del respeto incondicional por el ser humano. Por eso no presionaba a nadie para que lo siguiese. Quería el corazón, no el servicio. Cuando alguien se ofrecía para seguirlo, no le exigía nada, solamente que aprendiese a amar. Se proponía conquistar el alma y el espíritu humanos.

Sabía que el amor era la fuente de la motivación. Tenía la convicción de que ese sentimiento era una fuente excelente de cambios en las matrices de la memoria y de la transformación interior. El maestro de la vida era un rey sin trono político, era un rey que había aprendido a reinar en el alma humana.

Nosotros somos perseguidos por nuestro pasado. Castigamos los errores de los demás y nos afligimos con sentimiento de culpa. Pero el maestro no gravitaba en torno del pasado. Para Él, las fallas se deben recordar durante el tiempo suficiente para que sean reescritas. Por esas actitudes, todos vivían suavemente en su presencia. El pasado dejaba de ser un peso y se convertía en la tela de fondo de una bellísima obra de arte.

Quien ama, respeta el espectáculo de la vida. Quien ama, abre las ventanas de su mente para pensar en muchas posibilidades. El amor hace inteligentes y arriesgadas a las personas. Los científicos que amaron sus investigaciones hicieron los más excelentes descubrimientos. Los profesores que amaron a sus alumnos penetraron en el territorio de la emoción de ellos y los marcaron para siempre.

Si usted trabaja solamente pensando en el conteo de horas al final del mes, nunca será un excelente funcionario. Un buen funcionario hace todo lo que le piden, un excelente funcionario hace más de lo que le piden. ¿Por qué? Porque tiene compromiso con su empresa.

Jesús no pidió a nadie que llorase al pie de su cruz. No pidió a Pedro que rompiese en llanto, cuando lo negó, o que los discípulos reflexionasen sobre su fragilidad, cuando lo abandonaron. ¿Por qué tuvieron una reacción con alto volumen emocional? Por causa de los vínculos afectivos, de las raíces insondables del amor.

El maestro exhalaba amor en sus gestos, por eso contagió a un miserable criminal que moría a su lado.

La 2ª frase: "Hoy mismo estarás conmigo en el paraíso...". Consolando al criminal

Jesús dijo al criminal que estaría con Él en el paraíso aquel mismo día. Él no permaneció tres días en la muerte. ¿Cómo puede decir: "Hoy mismo estarás conmigo en el paraíso"[55] si, de acuerdo con las Escrituras, Él permaneció tres días en la muerte: la tarde del viernes, el sábado y la mañana del domingo? Eso indica que estaba hablando acerca de otra esfera.

Millones de personas tienen opiniones sobre ese asunto de acuerdo con su creencia. Como investigador científico, no voy a profundizar en Él, pues todo eso se refiere a la fe. Es posible que reciba muchos e-mails de lectores que me den sus opiniones. Apenas voy a hacer un comentario sintético dentro de las posibilidades de sus biografías.

Es probable que, cuando Jesús menciona "Hoy mismo" estarás conmigo en el "paraíso", esté queriendo referirse a una esfera en que la personalidad es preservada después del caos de la muerte. Él indicó lo que la ciencia ni siquiera sueña entender, o sea, que el fallecimiento del cuerpo no va acompañado del fallecimiento del alma o siqué.

Miramos la vida con los ojos de nuestra historia contenida en la memoria. Cada opinión emitida, cada respuesta dada, cada pensamiento proferido son generados a partir de la lectura de la memoria. Ella guarda los secretos de nuestra existencia. Sin la memoria no hay historia, sin historia no hay inteligencia.

Cuando el cerebro muere, la memoria se descompone, los secretos de la existencia se pierden, la historia se destruye. ¿Cómo rescatar esos secretos? ¿Cómo reconstituir la personalidad? Todos quieren saber qué sucederá con uno cuando llega el fenómeno de la muerte. Todos quieren saber si hay vida y conciencia después de la muerte. Sin embargo, no busque las respuestas en los libros científicos, pues la ciencia es una niña frágil en esas cuestiones.

Desde que comencé a producir una nueva teoría sicológica y filosófica sobre el funcionamiento de la mente, comencé a preocuparme con cuestiones que no me perturbaban. Comencé a pensar sobre el final de la vida y la descomposición de la historia existencial contenida en la memoria.

Los filósofos acostumbran ser más profundos que los pensadores de la sicología, siquiatría y neurociencia. Son más libres para pensar. Discuten la metafísica sin problemas, reflexionan sobre Dios sin miedo de ser limitados. Sócrates, Platón, Agustín, Spinoza, Descartes, Rousseau, Voltaire y Hegel están entre los pensadores de la filosofía que tuvieron a Dios en la línea de sus ideas. Varios percibieron que el ser humano necesita de Dios, pues el fenómeno de la muerte destruye los secretos de la memoria y solamente existiendo un Dios podríamos tener la posibilidad de reconstruir nuestras identidades.

Nuestra especie siempre ha buscado a Dios. De las tribus más primitivas a los pueblos más cultos, la búsqueda de Dios ocupa las avenidas centrales del pensamiento humano. Hasta la idea del ateísmo es una idea relacionada con Dios. No es posible, para esa especie inquieta que somos nosotros, existir sin preguntarse sobre sus orígenes y su destino.

Ningún ser humano pasa por la vida sin negar o afirmar la existencia de Dios. O lo niega o lo busca, nadie pasa incólume. El espectáculo de la construcción de los pensamientos nos perturba. No logramos mirar hacia nosotros mismos ni hacia el mundo sin plantearnos las preguntas milenarias: ¿Quiénes somos? ¿De dónde venimos? ¿Para dónde vamos?

Podemos definir filosóficamente la especie humana en una frase: "El hombre es una fuente de preguntas que durante toda su existencia busca grandes respuestas...".

Un miserable que no desistió de la vida

Jesús dio una gran respuesta al criminal. Ambos estaban muriendo, pero ambos se encontrarían después del caos de la muerte. Ambos estaban gimiendo de dolor, pero ambos estarían, según Él, en el paraíso, un lugar sin sufrimientos, adversidades ni infortunios.

El maestro de la vida logró refrigerar el alma de un miserable hombre que se atormentaba sobre cuál sería su destino. Con una sencilla frase, rescató el ánimo de quien sucumbía bajo el calor de sus dudas. Cuántas dudas atormentan a quienes piensan sobre el final de la vida...

Me alegro con ese criminal. Podría desear morir, pero soñaba con continuar su existencia. Muchos, por el contrario, piensan en el suicidio cuando tienen problemas. No soportan la carga de sus pérdidas. No soportan sus fracasos ni las injusticias sociales cometidas contra ellos. Son controlados por el dolor, sofocados por la tristeza y la ansiedad.

Nunca desista de la vida. Enfrente su dolor y usted lo trascenderá, dele la espalda y él lo destruirá. En la cruz vemos a un miserable criminal que no desistió de la vida. Los hombres estaban extrayendo su sangre y exprimiendo su alma, pero Él no quería morir, no abría mano de su vida.

Tenía todos los motivos del mundo como para no desear un minuto más de vida. Pero es extraño y hermoso. Veía un jardín florido y Jesús como un jardinero, aunque estuviese en el más molesto invierno. Pedía que Jesús se acordase de Él en su reino y Jesús le hablaba de un paraíso. Los dos morían de manera lenta y miserable, pero ambos no dejaban de soñar. ¿Soñar con qué? Con el mayor de todos los sueños: con la continuación del espectáculo de la vida. ¡Qué ejemplo!

Algunas personas tienen todos los motivos para ser alegres, pero son insatisfechas y especialistas en reclamar. Sin embargo, hace dos mil años, dos personas morían en una cruz, pero el dolor y el agotamiento no fueron suficientes para matar el amor de ellos por la existencia...

Capítulo 9

Continuación de la tercera hora: cuidando cariñosamente de su madre

$\mathcal{M}$aría, una madre especial

Algunos hijos se olvidan de sus padres cuando tienen éxito en la vida. Se acuerdan de ellos cuando están en el anonimato, pero cuando se enriquecen o se vuelven famosos enfrían esa relación. A veces, los colman de bienes materiales, pero les niegan lo más importante, su presencia.

Gastan poco tiempo para darles atención y dialogar con ellos, aun sabiendo que entre más ancianos se vuelven, más necesitan el cariño. Algunos de ellos se escudan en sus muchas actividades como excelentes disculpas para justificar su ausencia.

Nuestros padres, por más defectos que tengan, engendraron la vida. Perdieron noches de sueño y gastaron lo mejor de su energía y de su tiempo para cuidar de cada uno de nosotros. Infelizmente, sólo cuando perdemos a uno de ellos nos preguntamos: "¿Por qué no gasté más tiempo con ellos?" Pocos dejan de hacer una revisión de su historia cuando sus padres se silencian.

Es muy importante que examinemos los sentimientos más ocultos de nuestros padres y comprendamos sus inquietudes. Penetrar en el universo de aquellos que nos engendraron es más que una obligación, es un derecho. Un derecho que pocos ejercen. Los mejores hijos son aquellos que gastan tiempo para descubrirlos. Es extraño el hecho de que muchos hijos no conocen el alma de sus padres, no penetran en el mundo de sus emociones, no logran preguntarles qué están sintiendo o qué necesitan. Conocen la fachada, pero no saben lo que está detrás de sus ojos y de sus gestos: sus lágrimas, sus sueños, sus temores.

De la misma manera, muchos padres no logran percibir que hay un mundo por descubrir dentro de cada uno de sus hijos, aunque ellos los frustren y tengan diversos defectos. Padres e hijos necesitan ser guaqueros del alma. Necesitan aprender a explorarse el uno al otro para descubrir las piedras preciosas que están escondidas en su interior.

Cristo era el maestro del diálogo. Dialogaba largamente con Dios. Con sus discípulos rompía todas las barreras y todas las distancias. Con las mujeres, incluso con las que eran socialmente rechazadas, como la mujer samaritana, era atento, educado y generoso. Decía que era inmortal, pero le gustaba ser amigo de los mortales.

Y con sus padres terrenos, ¿era Jesús atento? ¡Mucho! Tenemos pocos relatos sobre su infancia y adolescencia, pero lo poco que tenemos nos confirma que era un hijo inigualable. Lo poco que Lucas registra sobre su infancia revela hasta qué punto era sumiso y gentil con sus padres.

María sabía quién era aquel niño que creció a sus pies. Lo conocía más que sus discípulos. Rara vez bloqueaba su paso como toda madre hace cuando se preocupa por sus hijos. Ella sabía que antes de ser su hijo, Él era hijo de Dios. Antes de pertenecerle, Él pertenecía a su Padre. Sabía que el niño al que ella había amamantado era muy cariñoso, afectuoso y especial, tan especial que un día lo perdería.

Lucas, al parecer, tuvo una relación estrecha con María. Escribió su evangelio más de veinte años después de la partida de Jesús. Muchas informaciones que escribió fueron extraídas de viva voz de María, pues es el único que nos proporciona detalles del nacimiento de Jesús y de la compleja oración de su madre.

Quizás un día escriba un libro en el que analice la personalidad de María. Es probable que muchos de los que hablan de ella no conozcan a la encantadora María de las biografías de Cristo. Ella tenía por lo menos cinco grandes características mencionadas en los evangelios: Primera, era inteligente. En la oración recogida por Lucas, hay una organización compleja de raciocinio y de secuencia de ideas. Segunda, era humilde. Se consideraba a sí misma literalmente como una humilde sierva delante de Dios. Tercera, conocía bien las Escrituras antiguas. Su oración es una síntesis del Antiguo Testamento[56]. En ella, habla sobre el origen del pueblo de Israel, sobre Abrahán y su descendencia, sobre la promesa de Dios, sobre la exaltación de los humildes, la destrucción de los soberbios. Cuarta, era discreta. El hecho de no aparecer mucho en las biografías de Cristo es un ejemplo de esa discreción. Quinta, respetaba a su hijo y conservaba sus palabras en silencio[57].

Sobre esta última característica hay una historia interesante. Cierta vez, mientras caminaban rumbo a Nazaret perdieron al niño Jesús entre la multitud. Lo buscaron desesperadamente. Después de algunos días lo encontraron. El niño, entonces con doce años, fue hallado en el templo discutiendo sus ideas con los maestros de la ley. Ellos estaban perplejos con su inteligencia y sus respuestas.

Tan pronto sus padres lo vieron, quedaron admirados también. Su madre se adelantó y sin agresividad manifestó su angustia, diciéndole: "Hijo, ¿por qué actuaste así con nosotros? Tu padre y yo, afligidos, te buscábamos"[58].

Una de las experiencias más angustiosas para los padres es perder a sus pequeños hijos en un centro comercial. María y José no lo perdieron por algunos minutos, sino por días. El caso fue grave. Además de eso, no podemos olvidar que los judíos, igual que los árabes, son amorosos, pero tienen ánimos exaltados. Con frecuencia se irritan cuando se ven frustrados. ¿Por qué un hecho tan grave fue tratado con blandura por parte de María? ¿Por qué expuso gentilmente la aflicción a su hijo? La única explicación es que ambos eran dóciles el uno con el otro. Había un clima de cariño, atención, amor, preocupación mutua que penetraba la relación de Jesús con sus padres.

Hasta sus treinta años, Jesús debe haber tenido una larga y afectuosa historia de diálogo con su madre. Ella ayudó a educarlo. El niño se asombraba con su mansedumbre y capacidad de donación. Ahora Él creció y comenzó a tomar cuenta del mundo a su alrededor. Se daba a todos. En los últimos tres años, mantenía ocupado, pero su madre lo acompañaba en muchos viajes.

María sabía que su hijo era un médico del alma que había encontrado una humanidad herida. Parecía que Él no tenía tiempo ni para sí mismo ni para su madre. Para sí mismo, con certeza, pero para su madre... Estudiaremos que Él nunca se olvidó de ella. En la cruz, aunque estuviese sin energía, procuró cuidar de ella y protegerla.

Jesús estaba muriendo y veía que su madre estaba asistiendo a todo. ¡Qué escena tan conmovedora! Madre e hijo, que siempre se habían amado, están tan próximos y tan distantes el uno del otro. Tal vez María recordase al hijo que cargó en su regazo y que ahora estaba perdiendo. ¿Qué sentimientos podrían invadir a esa serena y sensible mujer?

Nada mejor, para comprender el dolor de los demás, que comprender nuestro propio dolor. Permítame contar una dramática experiencia que viví con una de mis hijas y que cambió mi historia.

La experiencia de un padre desesperado

Un día estaba asistiendo a una cirugía de mi hija mayor. Era una extracción de las amígdalas. Por tener formación médica, sabía que era una cirugía aparentemente sencilla. No me imaginaba que pasaría por uno de los mayores sufrimientos de mi vida. Todo iba normal en el campo quirúrgico: la anestesia, las primeras incisiones y la regularidad del balón respiratorio.

Conversaba con el cirujano y con el anestesista con espontaneidad y soltura. Entonces, de repente, percibí que el balón había disminuido el ritmo. Mi hija dejó de respirar. Me desesperé. En fracción de segundos pasó por mi mente que podría perderla. La amaba intensamente, la besaba varias veces al día. Perderla en aquel momento era simplemente un hecho inaceptable.

Mi corazón se aceleró intensamente. Una taquicardia incontrolable. No era posible creer que no vería más su sonrisa, sus chanzas y sus picardías. Entonces, grité al anestesista que por algunos segundos había salido de la sala. Vino rápidamente.

Cada segundo parecía una eternidad. Yo quería hacer alguna cosa, pero no entendía de anestesia. Daría todo en el mundo para ver que mi hija volviese a respirar. Finalmente, con los procedimientos médicos aplicados, mi hija regresó. Parecía que yo hubiese estado en una guerra.

La cirugía terminó y el gran susto pasó. Pensaba que la pesadilla había terminado, pero lo peor estaba por llegar. El postoperatorio de un niño que se somete a una cirugía de ese tipo es de rápida recuperación. En algunos días ella debería quedar animada y volvería a ser lo que era. Sin embargo, cada día, mi hija empeoraba. Yo iba a mi consultorio intranquilo, sabía que algo estaba errado. Un olor fétido salía de sus narices. Ella solamente lograba respirar por la boca.

Telefoneaba con frecuencia a su médico y Él me decía que eso era normal. Pedía que limpiaran sus narices rociando suero fisiológico, pues podría ser sangre y secreción acumuladas allí. Mientras tanto, mi hija cada día se ponía más pálida, desanimada y no lograba jugar. Acudimos a antibióticos y antiinflamatorios, pero nada servía. En el quinto día postoperatorio, llamé a la casa para hablar con ella y casi no tenía fuerzas para hablar conmigo.

En ese momento pensé en algo que nunca más salió de mi mente. Pensé en el valor de la vida, en cuán preciosa es y en el poco valor que le damos. Solamente cuando ella se agota nos sentimos llamados a hacer esa reflexión. Pensé en mi interior: "Yo daría todo lo que tengo, todo lo que conseguí en la vida, para tener a mi hija otra vez como antes. Daría mis títulos académicos, todo mi dinero, éxito, casa, en fin, todo, a cambio de su vida".

Angustiado, llamé una vez más a su médico y le dije que el postoperatorio de mi hija no era normal. Había algo errado. Entonces tuvo una intuición y me pidió que la llevase urgentemente a su consultorio. Le pregunté por qué y me dijo que probablemente había olvidado una gasa en su garganta. "Tal vez, en las carreras del paro respiratorio, me haya descuidado y olvidado ese material".

Al llegar al consultorio su sospecha se confirmó. Retiró una gasa totalmente fétida. Mi hija sobrevivió, pero aquellos momentos me marcaron para siempre. Los sufrimientos o la perdida de los hijos son inolvidables para los padres. Su dolor surca nuestra alma.

Vamos a analizar el campo de la emoción de María al pie de la cruz de su hijo.

La 3ª frase: "Mujer, he ahí a tu hijo..." Consolando a su madre

María estaba cerca de la cruz. Sufría profundamente al verlo morir minuto a minuto. Sus ojos se inundaban de lágrimas. ¡Qué sufrimiento tan insondable! ¿Quién podría dar alivio a aquella mujer? Nada en el mundo calmaba su alma. El hijo que ella llevó en los brazos, ahora estaba en los brazos de una cruz...

Imagine a Jesús que ve el dolor de su madre. Ya era amargo su propio cáliz físico, verla sufrir aumentaba su cáliz emocional. María sabía que lo perdería, pero pensaba que ese día estaba lejos. Ella no sabía que su hijo iría a morir aquel día, pues su juicio, como dije, fue repentino. Eso indica que ella lo acompañaba con discreción en sus viajes. De repente, cuando menos lo espera, Él sale herido de la casa de Pilato.

En el camino hasta el Calvario, ella experimentó el desespero. Quería abrazarlo, pero se lo impedían. Los soldados debían empujarla sin piedad. Había una cohorte de ellos escoltando a Jesús, más de trescientos. María caminaba llorando. Nunca había imaginado que lo perdería de esa manera. Le faltaba fuerza física para gritar.

Para tener un hijo que amaba tanto al mundo, ella debía estar saturada de amor. María lo amaba intensamente. Sabía que el niño Jesús había sido el más dócil de los hijos. Criarlo había sido como plantar flores en un jardín. Sólo le había traído alegrías. Pasó largos y agradables años en su presencia.

¿Cuántas veces cargó María al pequeño bebé en los brazos, lo acarició y lo aseó? Vio su cuerpo desnudo cuando era pequeño, ahora lo ve desnudo en la cruz como un espectáculo de deshonra para el mundo.

Quería quitarlo de allí. Deseaba cuidar sus heridas y estancar su sangre. Debía gritar para que Él la oyese: "¡Hijo, yo te amo!". Debía también correr en dirección a Él, pero era retenida sin piedad por los soldados. Por eso, debía también clamar: "¡Suéltenme! ¡Qué han hecho ustedes con mi Hijo! ¡Déjenme abrazarlo y cuidar de Él!".

Ninguna palabra podría calmar la angustia de aquella afable y humilde mujer. El hijo que sólo le había dado placer estaba trémulo en la cruz. No soportaba verlo con la cara contraída de dolor y se desesperaba ante su respiración acezante. Ella no podía hacer nada pero quería hacerlo todo.

Jesús conocía el dolor de su madre. Su corazón claudicaba, pero Él se mantenía lúcido. Entonces, la miró y la vio llorando y profundamente angustiada. No quería que ella sufriese. Pero era imposible aliviarla. Ante eso, una vez más reacciona de manera sorprendente. Se recuesta nuevamente en la cruz para respirar mejor. Su dolor se intensifica con esa maniobra y suelta su voz, diciendo: "Mujer, he ahí a tu hijo"[59]

Sus manos estaban clavadas en la cruz. No podía hacerle señales. Indicó con los ojos. ¿A quién? A Juan, al joven discípulo Juan, quien era su primo.

Jesús era un hijo insustituible, pero pidió que ella tomase a Juan como hijo en su lugar. Pidió que su madre se consolase con la presencia de Él. Él se iría, pero dejaría en su lugar al joven que más aprendió con Él el arte de amar.

Muchos, incluso teólogos, se preguntan por qué Jesús llamó a María "mujer" y no "madre". Jesús decía mucho con pocas palabras. Era sintético cuando estaba libre y en la cruz fue todavía más sintético, pues estaba tan debilitado que no lograba respirar y presionar las cuerdas vocales para hablar.

Llamó a su madre "mujer" dos veces en los evangelios. Una en Caná de Galilea, al comienzo de su aparición pública, y otra aquí, crucificado[60]. Voy a comentar solamente esta última, porque, si la entendemos, podremos ser iluminados sobre la primera.

Algunos pueden pensar que llamar a su madre "mujer" parece una forma seca de tratamiento. Sin embargo, había una dulzura y amabilidad impar detrás de las palabras de Jesús. Él sabía que María se había comprometido intensamente con Él. Sabía que por cuidar de Él, ella lo amó tanto que se olvidaba de que, antes que ser hijo suyo, Él era hijo del Altísimo. Al decir "mujer" quería refrescar su memoria y recordarle su origen.

Parecía que le quería decir: "Madre, yo la amo, pero usted sabe quien soy yo. Usted sabía que me iría a perder entre la multitud. Sé que usted está sufriendo intensamente, pero tome su lugar ahora no como mi madre, sino como una "mujer". Recuerde que usted fue bendita entre las mujeres, pues fue escogida por mi Padre para recibirme, cuidar de mí y enseñarme los primeros pasos de lo que es ser un hombre. Sea una mujer fuerte. No sufra por mí. He ahí a Juan. Tómelo como su hijo. Él cuidará de usted y la protegerá en mi lugar".

Jesús se olvidó de sí mismo para preocuparse por su madre. Gastó lo poco de energía que tenía para consolarla. Ella, a su vez, entendió el lenguaje codificado de sus palabras. Aunque, en aquel momento, nada pudiese estancar su dolor. Seguía llorando sin parar. Quería acariciarlo como siempre lo había hecho en su infancia, pero no lograba alcanzarlo...

El dolor de Jesús produjo huellas profundas en su alma. Solamente más tarde se alivió su corazón. La pérdida de ese hijo fue irreparable... Así terminó la más bella historia de amor entre un hijo inigualable y una madre especial.

La 4ª frase: "He ahí a tu madre...".
Consolando a Juan

Después de que Jesús se dirigió a su madre y señaló a Juan con los ojos, se dirigió al discípulo y le dijo: "He ahí a tu madre"[61]. Dos motivos estaban contenidos en esa cuarta frase.

Primero, Él veía las lágrimas y los susurros de Juan y también quería consolarlo. Juan era un joven explosivo, pero siguiendo los pasos del maestro del amor, aprendió la más bellas lecciones de la educación de la emoción. Aprendió el alfabeto del amor. Amó tanto que cuando estaba con más de ochenta años escribió tres cartas de amor para sus lectores. Esas cartas, juntamente con su evangelio, destilan emoción en las letras.

Llama a todos hijitos. En su tercera epístola, que aparentemente nada tiene de espiritual, revela la intensidad con que amó a cada ser humano. Juan termina esa carta diciendo: "Saluda a los amigos, por su nombre"[62]. Saludaba a todos por su nombre, pues los consideraba personas únicas.

¿Usted considera a las personas con quienes convive y trabaja como seres únicos? Si los considera, no solamente debe saludarlos en general, sino hacerlo nominalmente. Juan valorizaba a cada ser humano como un ser inigualable porque había aprendido el arte de amar.

Ahora, él está viendo agonizar en la cruz a su maestro. Perderlo era como si perdiese su piso, su sentido de vida. Jesús también amaba intensamente a Juan, por eso no se olvidó de él en la cruz. En un mismo esfuerzo intentó consolarlo y pedirle que se hiciese cargo de María como si ella fuese su propia madre. Pidió mucho en pocas palabras. Pidió y fue atendido. Desde aquel día, Él la llevó a su casa y cuidó de ella.

Fue la primera vez que en una cruz se dijo tanto con tan pocas palabras. Fue la primera vez que, entre gemidos y dolores, una historia de amor fue escrita, la más bella de todas. Fue la primera vez que el corazón emocional amó tan ardientemente mientras el corazón físico estaba casi destruido.

CAPÍTULO 10

De la cuarta a la sexta horas: abandonado por Dios

Juzgado por el Juez del Universo

La crucifixión de Jesús puede ser dividida en dos partes de tres horas. La primera fue de las nueve de la mañana al mediodía y la segunda del mediodía hasta las tres de la tarde. En la primera parte, como vimos, pronunció cuatro frases referidas a cuatro tipos de personas: su Padre (Dios), un criminal, su madre y Juan. Pronunció también cuatro frases en esta segunda parte. No hay ninguna indicación precisa de horario cuando fueron pronunciadas, pero de acuerdo con el registro de las biografías de Mateo y Marcos, esas frases fueron verbalizadas al final de la crucifixión.

En la primera parte, el sol brillaba; en la segunda, hubo tinieblas. Al mediodía de nuestro reloj, que correspondía a las seis horas del horario judío, ocurrió un fenómeno extraño: la tierra se oscureció. Se oscureció, tal vez por un eclipse, un tiempo lluvioso o un fenómeno que escapa a nuestra comprensión. Probablemente, las tinieblas eran un símbolo de que Jesús estaba siendo juzgado por el Juez del universo a favor de la humanidad. Su Padre asume la forma de Dios y se convierte en el Juez del hombre Jesús. La investigación sicológica de ese asunto nos puede dejar confundidos. En la primera parte, su Padre lo sostenía con sus palabras inaudibles, con su emoción intangible, con sus miradas invisibles. Ahora, ese Padre, a pesar de amarlo intensamente, se sienta en el trono de juez.

De acuerdo con los textos bíblicos, nadie había pasado en el examen de Dios. Todos fallaron y estaban privados de la gloria de Dios[63]. ¿Por qué nadie pasó en ese examen? Hasta donde logramos analizar y comprender, es porque su juicio traspasa los comportamientos exteriores y penetra en las raíces de la conciencia.

Él escruta las intenciones y penetra en los pensamientos humanos. Nadie es perfecto, no hay un ser humano que sea plenamente dueño de sus emociones y de sus pensamientos. Podemos ser plenamente éticos por fuera, pero ¿quién lo es por dentro? ¿Quién tiene el valor de hacer una conferencia sobre todos los pensamientos que produce? ¿Quién tiene el valor de llamar a sus amigos y parientes para hablar sobre todas las ideas que transitan por el palco de su mente? Creo que ninguno de nosotros. El más puritano de los seres humanos produce pensamientos absurdos que no tiene valor de verbalizar.

La sicología tiene muchos límites en la comprensión del ser humano, pues sólo logra interpretar sus comportamientos. A través de ellos, trata de comprender lo que los ojos no contemplan: las emociones, los fenómenos inconscientes, el engranaje dinámico de los conflictos, la estructura del yo.

El más excelente sicólogo nunca penetra en el mundo de sus pacientes. Nunca puede hablar en nombre de la verdad, pues nunca penetra en la energía depresiva, fóbica, ansiosa de ellos. Entre un sicólogo y un paciente hay un mundo intraspasable, mediado por la limitada interpretación.

De la misma manera, el sistema jurídico tiene extensos límites para comprender y juzgar al ser humano. Sería un sueño para la criminología evaluarlo por sus reales intenciones conscientes. Sin embargo, el sistema jurídico juzga a un reo no por lo que él realmente piensa y siente, sino por la cortina de sus reacciones externas. Por eso, necesita testigos, reconstrucción de la escena del crimen, detectores de mentira y abogados de defensa y de acusación para juzgarlo con más justicia y menos equívocos.

El Autor de la vida no tiene los límites que nosotros como seres humanos tenemos para juzgar. Él atraviesa la vidriera de nuestros comportamientos y penetra en las entrañas de nuestra alma. Jesús fue juzgado por el único Ser que no tiene límites para juzgar.

La ciencia puede hablar mucho sobre este tema, pero es posible deducir que Dios no juzgó a Jesús como su Hijo, sino como un ser humano. Cada pensamiento, cada sentimiento y cada reacción del hombre Jesús pasó por el cedazo del juicio de Dios. Solamente un ser humano podría morir por la humanidad, solamente un ser humano podría rescatarla y servirle de modelo.

Muchas personas confunden la perfección con sufrimiento. Algunos creen que Jesús fue sobrehumano y por eso no sufría. Otros pretenden encontrar defectos en Él, porque teniendo defectos, podría servir de modelo para nosotros, simples mortales. He encontrado a algunos científicos que me han dicho que, si Jesús tuviese algún defecto, sería más fácil reflejarse en Él.

Cristo puede servir de espejo a toda persona, porque fue un hombre como cualquier ser humano. Sufrió, lloró, vivió momentos de extrema ansiedad y tuvo diversos síntomas sicosomáticos. A pesar de eso, fue perfecto. ¿Perfecto, cómo? Perfecto en su capacidad de incluir, perdonar, preocuparse, comprender, tener misericordia, darse, respetar, tener dignidad en el dolor. Perfecto en su capacidad incondicional de amar, en su habilidad de ser líder del mundo de las ideas y administrador de sus emociones.

Juan Bautista, su precursor, preveía ese juicio. Él se comportaba de manera extraña. Vestía piel de camellos y comía langostas y miel silvestre. Su manera de hablar manifestaba también algo extraño para nuestra inteligencia. Al ver a Jesús, Él declara, a voz en grito: "He ahí al cordero de Dios que quita el pecado del mundo"[64]. ¿Cómo puede un hombre tener la responsabilidad de eliminar la culpa de las injusticias humanas?

Él murió por causa de las maldades y miserias del alma humana. Por un lado, el odio del sanedrín judío y el autoritarismo de la política romana lo mataron. Por otro, su muerte fue usada por el Juez del universo como un sacrificio para estancar la culpa de una especie que tiene el privilegio de ser inteligente, pero que no honró su capacidad de pensar.

Las páginas de nuestra historia nos avergüenzan. Hasta las tribus más primitivas están llenas de agresividad contra sus semejantes. Las guerras, las discriminaciones, los genocidios, las injusticias contra las mujeres, la exclusión de las minorías colman nuestra historia. Millones de vidas son sacrificadas cada década. Millones de niños anualmente son víctimas del hambre y de la violencia.

¿Y qué decir de la violencia sexual? Millares de niños y niñas son violentados sexualmente todos los días en todos los rincones de la tierra. ¿Quién puede eliminar las zonas de tensión archivadas en los recovecos de la memoria? Las cicatrices de su memoria nunca podrán ser borradas, solamente reescritas. Les arrebataron la ingenuidad de la vida. Deberían estar jugando, pero fueron atropelladas por la violencia de los adultos. Y, porque no han tenido la oportunidad de someterse a un tratamiento, muchos sufren dramáticamente.

La medicina preventiva alcanzó conquistas enormes, pero el número de vidas que ella preserva es pequeño al lado de las pérdidas generadas por las guerras, por el hambre, por los accidentes de tránsito. El mundo, el "cosmos" humano, el sistema social y político siempre ha sido injusto. La democracia trató algunos síntomas de la injusticia, pero no eliminó la enfermedad. Unos tienen mucho, otros nada poseen. Los grandes controlan a los pequeños. La miseria física y emocional ha sido la compañera de nuestra especie.

Después de tantas vidas sacrificadas, vino un hombre que resolvió sacrificarse por la humanidad. Un hombre que no pidió nada a cambio, solamente se entregó. Un hombre que cuidó de todas las personas que lo rodeaban, incluso cuando necesitaba cuidados intensos.

De acuerdo con el propósito trascendental del Dios Altísimo, Él solamente podría borrar las enormes deudas de la humanidad si el hombre Jesús fuese perfecto en todos los aspectos de su vida. Fue usado el símbolo del cordero para exponer los aspectos sicológicos de ese hombre impar.

Un cordero es un animal tranquilo. Jesús fue el más tranquilo de los seres humanos. Un cordero es dócil hasta cuando está muriendo. Jesús, contrariando los paradigmas de la sicología, demostró una dulzura y amabilidad inimaginables en la cruz.

La visión de un filósofo de Dios

Agustín es considerado un gran filósofo. Fue un filósofo de Dios. Una vez dijo una frase intrigante y compleja: "Dios se hizo hombre para que el hombre llegase a ser Dios"*.

Agustín, en ese pensamiento, quiso decir que el objetivo de Dios era que el hombre recibiese, a través de Jesucristo, su vida y conquistase el don de la eternidad. Recibiendo la vida de Dios tendría acceso a todas las dádivas de su Ser y la condición de hacerse hijo de Dios sería la mayor de ellas.

El mismo apóstol Pedro, en su vejez, escribió en una de sus cartas que a través de Cristo "nosotros somos partícipes de la naturaleza de Dios"[65]. Incomprensible o no, esa era la idea que orientaba el proyecto de Jesús y que envolvía a sus apóstoles y a sus más íntimos seguidores. ¿Cómo puede el ser humano, mortal, lleno de fallas, limitado y que frecuentemente deshonra su inteligencia, hacerse hijo del Autor de la vida y ser eterno como Él?

Marx, Hegel, Freud, Sartre y tantos otros pensadores de la filosofía y de la sicología se proponían, al máximo, que sus discípulos siguiesen sus ideas, pero Jesu-

---

* BETTENSON, Henry. *Documentos da Igreja Cristã*. Editora Aste/Simpósio. Sâo Paulo, 1998.

cristo se proponía que sus discípulos fuesen más allá de la comprensión de sus ideas, que participasen de una vida que trasciende la muerte. A través de la cruz, Él quería abrir una ventana hacia la eternidad. El maestro de la vida tenía incuestionablemente el proyecto más elevado que nuestra mente pueda concebir.

La filosofía del caos y la preservación de los secretos de la memoria

Nada es tan bello como el universo y nada tan dramático como Él. Nada hay estable en el mundo físico. Todo se organiza, posteriormente experimenta el caos, y se organiza de nuevo. El sol pierde materia a medida que emite ondas electromagnéticas, luz. Si nuestra especie fuera capaz de vivir mucho tiempo, asistiría a la desaparición del sol y, por consiguiente, de la vida en la tierra. Todos los días se forman planetas y estrellas y todos los días otros cuerpos celestiales son exterminados. Es imposible evitar el caos.

La organización, el caos y la reorganización de la materia y de la energía se produce en un proceso aparentemente sin fin. El caos está presente no solamente en el mundo físico, sino también en el campo de la energía síquica, en el alma o siqué.

Durante años investigué algo que muchos científicos tuvieron la oportunidad de investigar: la teoría del caos de la energía síquica*. Cada pensamiento se organiza, en seguida se desorganiza, y después se organiza en nuevos pensamientos. Cada emoción se organiza, se desorganiza y se reorganiza en nuevas emociones.

---

* CURY, Augusto J. *Inteligência Multifocal*. Editora Cultrix. São Paulo, 1998.

Si usted trata de retener un pensamiento, percibirá que no lo va a conseguir. Al cabo de algunos segundos Él se deshará y usted estará pensando en otra cosa. Si trata de preservar una emoción placentera, tampoco tendrá éxito. Aunque usted haya ganado el premio Nobel o un Óscar, en cuestión de horas la emoción del éxito estará desorganizándose y será sustituida por una ansiedad o por otra emoción.

El caos de la energía síquica es inevitable y creativo. Sin Él, todo sería una pasividad. Note que cada día producimos millares de pensamientos y emociones en un proceso sin fin.

Nada es rígidamente estable en el campo de energía síquica y en el mundo físico. No existe equilibrio sicológico como algunos sicólogos piensan, pues nada es estático. No quiera ser mecánico, sólidamente estable, porque no lo conseguirá, a no ser que sea artificial. Todos tenemos una emoción que fluctúa. En algunos momentos estamos alegres y en otros, tensos.

Sin embargo, la energía emocional no debe ser muy fluctuante. No es saludable tener inmensa alegría en un momento e intensa explosión de ansiedad en otro. La fluctuabilidad de la emoción debe tener niveles de estabilidad. Lo adecuado sería tener emociones alegres, placenteras, tranquilas que se alternen con algunas experiencias no profundas de ansiedad, angustia, inseguridad.

El caos, a pesar de dilatar el mundo de las ideas y de las emociones, y, por tanto, ser extremadamente creativo, puede traer algo dramático a la memoria. El caos de los archivos de la memoria puede destruir la identidad y la conciencia humanas. Nada es tan grave como eso para la inteligencia.

La memoria debe ser reeditada y renovada constantemente, pero sus matrices no pueden atravesar el caos definitivo. Si las informaciones de la memoria se desorganizasen a través de un tumor cerebral, traumatismo craneal, degeneración de las células nerviosas o por el fenómeno de la muerte, no hay cómo rescatar nuestra identidad a no ser por la existencia de un Dios con un poder mucho mayor de lo que podemos imaginar.

Vea la angustia de quien tiene una dolencia degenerativa cerebral. Golpeado por esa dolencia, un científico puede convertirse en un niño y no saber ya lo que hace ni quién es. Habrá perdido la mayor dádiva de la inteligencia: la conciencia.

Muchos, tal vez, no entiendan lo que quiero decir, pero este asunto ocupa el centro de mis pensamientos. Ser pensador de la sicología y de la filosofía me hace reflexionar sobre cuestiones que las personas normalmente no piensan. Un día iremos a morir. La peor cosa que la muerte nos puede causar es dañar caóticamente la colcha de retazos de nuestra memoria.

Preservar los secretos de nuestra memoria es fundamental para preservar nuestra conciencia y saber quiénes somos. En caso contrario, perderemos los parámetros de la inteligencia, perderemos nuestra capacidad de comprender. Así, no tendremos pasado ni historia, no seremos nada, apenas "átomos" errantes.

Si el fenómeno de la muerte destruye sus archivos y no hay Dios para rescatarlos, todo lo que usted fue e hizo en esta tierra dejará de tener significado, pues usted no existirá como ser consciente.

Por eso, reitero lo que ya comenté. Creer en Dios es más que un acto de fe, es un acto inteligentísimo. Es creer en la posibilidad de que sigamos pensando, sintiendo, existiendo. Es creer en la posibilidad de reencontrarnos y convivir con las personas que amamos. Es tener esperanza de reunirnos con nuestros hijos y amigos en una existencia real y sin fin. Sin la existencia de Dios, nuestra casa definitiva sería un túmulo lúgubre, solitario, frío y húmedo. Nada podría ser peor.

Todos los ateos que han pasado por esta tierra han amado la libertad de pensar y de expresar sus ideas, incluso la idea de que Dios no existe. Sin embargo, si la idea de la inexistencia de Dios fuese correcta, ellos perderían lo que más han amado, la libertad de pensar, pues el caos de la muerte destruiría su memoria y no habría Dios para rescatarla.

Cuando era uno de los ateos más escépticos, no imaginaba que amaba tanto mi libertad de pensar ni comprendía que leer la memoria y construir ideas eran procesos tan delicados. Cuando estudié con detalle algunas áreas de la construcción de los pensamientos y algunos papeles relevantes de la memoria, pude percibir que es necesario que Dios exista. Si Él no existe, mis libros podrán permanecer, pero nada de lo que hice tendrá significado para mí, solamente para los que estén vivos. No seré nada más que un montón de polvo mórbido y desorganizado.

Jesús comprendía todo lo que estoy escribiendo. Él hablaba de la vida eterna, no como un delirio religioso, sino como la necesidad de preservar la memoria y continuar la existencia. Un día, exaltó sobremanera a una mujer que rompió un frasco el cual contenía un precioso perfume y lo derramó sobre su cabeza. Ella sabía que Él iba a morir y sabía por qué estaba muriendo. Su corazón estaba tan agradecido que derramó sobre su cabeza lo más precioso que ella tenía. Los discípulos, desatentos, criticaron su acto. Ellos pensaron que era un desperdicio derramar un perfume tan caro de ese modo. Ellos no veían lo que ella vio.

El maestro de la vida miró a sus discípulos y dijo que donde fuese predicado su evangelio sería contado lo que ella había hecho para recuerdo de ella[66]. Él estaba hablando de la preservación de la memoria. Dijo que, aún después de la muerte de ella, se contaría cuánto había amado. Él honró su memoria. Aquí, Él resume su ambicioso proyecto, un proyecto que jamás será alcanzado por la siquiatría o la sicología, que es preservar la memoria humana y, por consiguiente, la capacidad de pensar y de tener conciencia de quiénes somos.

La memoria tiene un valor supremo para la vida eterna sobre la cual Jesús discurría. Ella es la base de la inteligencia. Perderla es perderse como ser pensante. Es fundamental también en esta breve existencia. Por eso, tienen razón las personas ancianas que temen perder su memoria. Tienen razón cuando se cuidan para evitar tener problemas cerebrales.

Es posible conservar la conciencia hasta el último minuto de la vida, como ocurrió con el maestro del amor. Él tenía una dieta no exagerada, caminaba mucho, tenía muchos amigos, era alegre, ejercitaba su raciocinio, meditaba frecuentemente y se daba a las personas. Esos ingredientes son excelentes para preservar la capacidad de pensar. Usted puede un día jubilarse de su trabajo, pero jamás podrá jubilar su mente. El ejercicio del raciocinio es fundamental para conservar la lucidez.

Las palabras de Jesús dejan atónitas la física, la sicología, la siquiatría y todas las neurociencias. Él discurrió, sin titubear, sobre una vida que preserva la memoria y que trasciende el caos de la muerte. Dijo: "Yo soy el pan de la vida, quien me come vivirá eternamente"[67].

¿Qué hombre es ese que habla con eximia seguridad sobre una vida que supera los principio de la física? ¿Qué hombre es ese que nos trae una esperanza que la medicina nunca soñó siquiera prometer? Él se sacrificó al máximo para hacer realidad aquello que sólo puede ser alcanzado por la fe. Nunca la ciencia quedó tan perpleja delante de las palabras y la trayectoria de un hombre.

El mayor emprendedor del mundo

Los pensadores de la filosofía sufrieron por ser fieles a sus ideas, algunos fueron presos y expulsados de la sociedad. Pero Jesús fue más allá. Agotó toda su energía para ser fiel a su plan. Permitió, incluso, ser juzgado por Dios. Lo animó a penetrar en todas las hendijas y rincones de su alma. El análisis de sus comportamientos revela a un hombre coherente con su historia y controlado por una meta trascendental. Un hombre profundamente apasionado por la especie humana.

¿Usted tiene metas que controlan su vida o vive de cualquier manera? Si las tiene, ¿usted es coherente con ellas? Algunos tienen la meta de ser millonarios, de ser un artista de Hollywood, de estar en los grados más altos de la fama. Otros tienen metas más nobles, desean ser felices, sabios, cultos, útiles para su sociedad, conquistar muchos amigos y conocer los misterios de la vida.

Muchos sueñan alto, pero no todos los sueños se materializan. ¿Por qué? Uno de los motivos es que sus metas no los controlan. Los obstáculos en mitad del camino los desaniman y los desvían de su trayectoria.

El maestro de la vida sufrió innumerables accidentes por el camino, fue incluso considerado un impostor y un reaccionario. Además de eso, las personas que andaban con Él eran lentas para aprender el alfabeto del amor y rápidas para deletrear el alfabeto de la discriminación y del odio. Felizmente la palabra "desistir" no hacía parte de su diccionario. Jamás se desvió de su trayectoria. Siguió solo, sin el consuelo de sus amigos y sin la comprensión del mundo, pero no se detuvo...

Dormir a la intemperie, ser rechazado, ser traicionado, negado, herido y odiado no eran problemas capaces de bloquearlo. Una visión controlaba las entrañas de su alma. Él fue el mayor emprendedor del mundo...

La motivación de Jesús era inquebrantable. Aún agonizando, con crisis de calambres musculares y con el corazón arrítmico, aún así no reclamaba. Hasta que, finalmente, por primera vez, se oyó reclamar a aquel hombre. Reclamó una sola vez. ¿De qué? De que Dios lo hubiese abandonado. Fue el más justo y blando reclamo. Veamos.

La 5ª frase: "Dios mío, Dios mío, por qué me abandonaste..."

Alrededor de la hora nona, clamó Jesús en voz alta: "Dios mío, Dios mío, ¿por qué me abandonaste?"[68]. El maestro de la vida podía soportar que el mundo cayese sobre su cabeza, pero no podía ser desamparado por

Dios, lo que indica que por detrás del escenario su Padre era el fundamento emocional.

Dios, en la condición de Padre, no se había ausentado ni un segundo, pero cuando asumió su condición de Juez, necesitó abandonarlo para juzgarlo. Aliviar a Jesús consumía su alma. Pero ningún Juez puede tener vínculos con un reo cuando va a juzgarlo, en caso contrario manchará su juzgamiento. Todas las iniquidades de la humanidad habían recaído sobre Jesús, al mismo tiempo que Dios escudriñaba cada callejuela de sus pensamientos y emociones.

El Autor de la vida ya se angustiaba sobremanera al ver a su Hijo agonizando, ahora, apartándose de Él y comportándose como un Juez, sufría más intensamente. Tendría que dejarlo morir solo, sin ningún consuelo, sin su presencia.

Los últimos momentos de la crucifixión son un gran misterio. Jesús dejó definitivamente su condición de Hijo de Dios y asumió plenamente su condición de hombre. Dios dejó, por su parte, la condición de Padre y asumió la condición de Juez. Sólo un hombre podría sustituir a la humanidad.

Ese Juez solamente aceptaría que Jesús disculpase a la humanidad si fuese un ser humano, si amase incondicionalmente, si no fuese controlado por pensamientos negativos, si fuese capaz de ponerse a los pies de los seres humanos, si nunca usase su poder para presionar a las personas u obtener alguna ventaja y si tuviese un comportamiento sublime en los brazos de una cruz. Diariamente somos imperfectos. Yo ya desistí de ser perfecto. Sin embargo, Dios exigió un comportamiento del hombre Jesús que jamás podría exigir de cualquier ser humano.

El maestro del amor estaba literalmente muriendo. Su boca estaba profundamente seca; su cuerpo, deshidratado y ensangrentado. El volumen sanguíneo era insuficiente para ser bombeado y nutrir sus células. La fatiga respiratoria se exacerbaba. Respiraba rápida y brevemente. No había posición adecuada para relajarse.

Los crucificados a su lado debían emitir sonidos altos y pavorosos. Sin embargo, nadie oía gritar a Jesús. Sólo la ausencia de su Padre lo hizo clamar. No le pidió que lo librase de la cruz, no le pidió anestesia, quería solamente su presencia. El mundo se oscureció. Su sufrimiento llegó al límite de lo insoportable.

Él no gritó: "Padre, ¿por qué me abandonaste?". ¿Por qué? Porque sabía que su Padre nunca lo abandonaría. Si clamase al Padre, éste podría hacer su voluntad. Pero gritó: "Elí, Elí lemá sabactaní: Dios mío, Dios mío, ¿por qué me abandonaste?".

Clamando a Dios y no al Padre

Una de las experiencias más dolorosas del ser humano es la soledad. Incluso un ermitaño necesita la naturaleza y sus propias fantasías para superar su soledad. La soledad de la cruz fue el momento final de la historia de Cristo. Pero ¿quién pidió que Dios lo abandonase? El mismo Jesús. Cuando dijo: "Padre, perdónalos porque no saben lo que hacen", autorizó a su Padre para que asumiese la condición de Dios y lo juzgase en lugar de los seres humanos.

Al disculpar a los indisculpables, el maestro del amor asumió su condición de cordero de Dios que eliminaría las injusticias humanas a través de su sacrificio. Su Padre asumió la posición de Dios y juez en los últimos momentos. El análisis es impresionante. Jesucristo tomó partido por la humanidad y, por eso, perdió el único recurso que todavía le daba algún alivio, la presencia de Dios.

Me faltan palabras para describir la dimensión de la emoción de Jesús. No logro explicar ese amor. Tal vez los teólogos del mundo puedan hablar mucho mejor sobre Él. El apóstol Pablo lo consideraba inexplicable: "El amor de Dios excede todo entendimiento"[69].

¿Cómo alguien puede amar tanto a quien no lo ama? Los padres pueden amar a hijos rebeldes, agresivos, criminales, pero no tienen capacidad para amar a hijos que no son suyos y con quienes no tienen vínculos. Sin embargo, Jesús estaba muriendo no solamente por las mujeres que lloraban a los pies de su cruz, sino también por los verdugos que le quitaron sus vestiduras y lo crucificaron. Estaba muriendo por hombres y mujeres que se burlaron de Él, que lo cambiaron por un asesino, Barrabás, y lo consideraron el más hereje de los seres humanos. ¿Cómo es posible eso?

Por tener comportamientos tan distantes del escenario de nuestra imaginación, he comentado en esta colección que es imposible para la mente humana crear un personaje con las características de la personalidad de Jesús. Las mayores evidencias de que Él existió no son arqueológicas, no son los innumerables manuscritos antiguos, sino el terreno de su emoción, en el funcionamiento extraordinario de su mente.

Debería estar confuso, delirando, sin condiciones de raciocinio inteligente, pero, por increíble que parezca, tenía tanta conciencia de dónde estaba y del cáliz que estaba bebiendo que clamó a Dios como un ser humano y no como hijo de Dios. Ofrecía en la cruz la energía de cada una de sus células a favor de cada ser humano.

Mientras lo abofeteaban, callaba. Mientras lo coronaban con espinas, se silenciaba. Mientras lo clavaban en la cruz, gemía sin alardes. Pero cuando Dios lo abandonó, no braveó sino que lloró intensamente, sin lágrimas, pues estaba deshidratado. La presencia de Dios era una pérdida incalculable.

No un héroe, sino un hombre fascinante

Dios no era, para Jesús, un símbolo religioso, ni un punto de apoyo para superar sus inseguridades. Dios era real, tenía una personalidad, hablaba con Él, lo alimentaba con sus palabras. ¿Qué Dios es ese que es tan real y tan intangible para nuestros sentidos?

Los biógrafos clásicos de Jesucristo, que escribieron los cuatro evangelios, tuvieron una honestidad impresionante en la descripción de sus últimos momentos. Quien tiene experiencia en el arte de interpretar puede percibir la fidelidad literaria de esos biógrafos. ¿Por qué? Porque la descripción que hicieron no se distingue por la ostentación ni por la exageración.

No maquillaron al personaje Jesús. No crearon un mártir o un héroe religioso. Si quisiesen producir un héroe religioso ficticio jamás habrían reproducido en los evangelios su exclamación "Dios mío, ¿por qué me abandonaste?". Habrían escondido ese momento, pues aquí Él muestra al máximo su fragilidad como ser humano. Sin embargo, fueron honestísimos en su descripción. Jesús era una persona fascinante, pero sin Dios, tampoco tenía sustentáculo.

Las frases que los autores de los evangelios relataron, han perturbado la mente y generado dudas en millones de personas a lo largo de los siglos. Hasta hoy, muchos no comprenden por qué Jesús clamó por el abandono de Dios. Preguntan: "Pero, ¿Él no era hijo de Dios?". No comprenden que en la cruz Él se comportó como un ser humano hasta las últimas consecuencias. Aunque generase dudas, lo que él habló fue relatado en los evangelios.

Sus frases fueron y breves. No podía proferir largas frases, pues estaba acezante, afligido y debilitado. Pero las frases que profirió esconden secretos difíciles de entender.

Lo más misterioso de ese hombre fascinante es que varios aspectos de su biografía ya habían sido descritos siete siglos antes de que Él viniese al mundo. La descripción detallada que el profeta Isaías hizo de su martirio desde que salió de la casa de Pilato colinda con lo inimaginable. Dijo: "Cómo se pasmaron muchos a la vista de Él. Su aspecto estaba muy desfigurado, más que el de cualquier ser humano... Era el más despreciado entre los seres humanos. Hombre de dolores, que sabe lo que es padecer... Verdaderamente Él cargó sobre sí nuestras debilidades, y nuestros dolores llevó sobre sí; y nosotros lo considerábamos afligido, herido por Dios y oprimido. Pero Él fue herido por nuestras transgresiones y molido por nuestras iniquidades; el castigo que nos trajo la paz estaba sobre él..."[70].

¿Cómo no sorprenderse con un hombre que, además de poseer una personalidad espectacular, fue predicho en prosa y verso siglos antes de venir al mundo? ¿Qué plan sorprendente estaba entre los bastidores de la cruz? La sicología se propone ayudar al ser humano a ser autor de su propia historia, una historia que rara vez dura más de cien años. Pero el maestro de la vida hizo planes para que el ser humano conquistara una historia capaz de romper la burbuja del tiempo.

Muchos de esos acontecimientos entran en la esfera de la fe. La fe saluda de lejos a la ciencia. Pero lo poco que podemos analizar sobre el ser humano más deslumbrante que pisó esta tierra es suficiente para que concluyamos que nuestras bibliotecas científicas son apenas una brizna en el espacio infinito del conocimiento.

Una pequeña cruz de madera escondió secretos que la literatura científica no logra desentrañar. Gemidos de dolor hicieron por primera vez un poema... Seis horas y ocho frases escondieron un conocimiento sobremanera elevado... El perfume de su serenidad se desprende hasta hoy de las letras de los evangelios...

Consumando su plan.
El cerebro y el alma

6ª Frase: "Tengo sed..."

¿Qué es más importante: una cantimplora de agua o un baúl de oro? Depende. En un desierto, una cantimplora de agua vale más que todo el oro del mundo. Tenemos tantas cosas agradables a nuestro alrededor y que cuestan tan poco, pero sólo las valoramos cuando éstas nos hacen falta.

Las sesiones de tortura y los desangres que Jesús tuvo en su juicio ya lo habían deshidratado. La caminata en dirección al Calvario lo deshidrató todavía más. Para completar, la crucifixión y el calor del sol hasta el mediodía extraían más agua de su debilitado cuerpo.

Los criminales a su lado debían declarar que estaban sufriendo y sedientos y, tal vez, fuesen atendidos. Pero el maestro de la vida se mantenía callado. En los últimos momentos antes de morir, manifestó una necesidad que lo consumía. Dijo: "¡Tengo sed!"[71] .

Después de seis horas de crucifixión, su lengua, sus encías y su paladar estaban con fisuras. Sus labios estaban rajados. La sed era profunda. Cuando estamos afligidos, la percepción del tiempo queda alterada por la emoción. Cada minuto pasa difícilmente.

Un poco de agua sería un gran golpe de misericordia de los soldados. Sin embargo, no les pedía agua, dijo solamente que tenía sed. El maestro tenía una estructura emocional tan grande que incluso cuando hablaba de sus instintos, lo hacía con blandura. Por un vaso de agua las personas son capaces de matarse cuando están sofocadas por la sed.

Jesús mostraba un dominio de sí impresionante. Ese dominio era fruto espontáneo de su personalidad. Pero cuando necesitaba llorar, lo hacía sin ningún recelo. De la misma manera, cuando necesitaba declarar sus sentimientos angustiantes, no se maquillaba como nosotros, sino que los demostraba sin temores.

En Getsemaní, horas antes de ser crucificado, vivió el culmen del estrés. Sabía que moriría sin anestesia. ¿Quién soportaría saber que al día siguiente tendría una operación sin anestesia? Hay una historia de algunos amigos que ataron a un joven en una línea de tren, sólo que fue en una línea paralela a aquella por donde pasaría realmente el tren. Cuando el tren pasó, el joven quedó tan estresado que sufrió un infarto.

Jesús podría haber tenido un colapso cardiocirculatorio por saber que enfrentaría la cruz y, además de eso, por tener que controlar sus instintos. Su cuerpo entero pedía que huyese de Jerusalén, pero Él dominaba sus instintos y se mantenía lúcido. Por eso quedó profundamente deprimido[72]. Quedó deprimido, pero tuvo el valor de decir lo que estaba sintiendo.

Muchos líderes espirituales, empresariales y políticos tienen miedo de revelar su miseria emocional. Tienen recelo de hablar de su dolor, de sus conflictos y de sus temores. Cuanto más suben en la escala del éxito, más se encierran en una burbuja de soledad. Necesitan desesperadamente amigos y dividir sus temores más íntimos, pero enmudecen. Mantienen su imagen de héroes, mientras naufragan en las aguas de la emoción.

El maestro de los maestros nunca se encerró en una burbuja de soledad. Nunca se vio un hombre tan seguro como Él, pero, al mismo tiempo, nunca se vio a alguien tan gentil, sencillo y espontáneo.

Cuando necesitó hablar de su dolor, llamó a tres amigos íntimos que no tenían condición alguna para consolarlo, pero a pesar de eso lo hizo[73]. Nos dio de esa manera un ejemplo de que no debemos ser artificiales, sino hablar la verdad, mostrar nuestros sentimientos, aunque con gran respeto.

Cuando ya no soportó la sed, no tuvo recelo de decirlo. Pero, cuando lo dijo, sabía que no sería atendido. Si sus verdugos lo desafiaban a bajarse de la cruz, ciertamente se burlarían de Él si pidiese agua. Hicieron algo peor que eso.

El dolor de la sed, cuando no es saciada, genera una de las peores angustias humanas. Hay personas que tomaron su propia orina para matar su sed. Cuando Jerusalén fue sitiada por los romanos en el año 70 d.C., las personas bebieron agua de alcantarilla para matar la sed. La próxima vez que tome agua, sienta prolongadamente el placer de beberla.

Cuando escribía estos textos, ya era casi medianoche. Estaba con sed y entonces pedí a mi esposa que me trajese un vaso de agua. Ella no me criticó por la hora, sino que gentilmente lo trajo. Entonces, al beberla, sentí que el agua no solamente había saciado mi cuerpo, sino también refrescado mi alma. Me acordé de Jesús.

Al manifestar que estaba con sed, los soldados, sin ninguna piedad, no solamente le negaron el agua, sino que le dieron vinagre[74]. El vinagre es un ácido: ácido acético. Cuando los soldados empaparon una esponja con el vinagre y lo dieron de beber a Jesús, Él sintió un dolor indescriptible. El ácido acético penetró en cada fisura de su boca y provocó una sensación horrible de quemadura.

Su lengua y sus labios sintieron como una llamarada. Quería abanicar con sus manos su boca, pero estaba clavado en la cruz. No podía hacer ninguna maniobra para ser aliviado. Temblaba de dolor y movía la cabeza sin parar para tratar de suavizarlo. De nada servía. No tenía ya fuerzas para respirar y refrescarse con el aire que salía de sus pulmones.

Era el momento de desistir de los soldados. Era el momento de olvidarse de la humanidad. Sus verdugos sentían placer al verlo contraerse de dolor. Pero Él sufrió callado. De hecho, supo lo que era padecer.

Vimos que la emoción controla la lectura de la memoria y, por consiguiente, la capacidad de pensar. Cuando estamos bajo el foco de un dolor, cerramos los terrenos de lectura de la memoria y reaccionamos sin pensar. Esos mecanismos no se presentaban en la mente de Jesús. El amor abría las ventanas de su memoria y lo llevaba a pensar antes de reaccionar.

Nunca un hombre reunió, con tanta eficacia, en un mismo universo, el mundo de la emoción y el mundo de la razón. En los límites de los instintos reaccionó con el máximo de inteligencia. Si los padres de la sicología hubiesen estudiado al hombre Jesús, habrían quedado aterrados e insomnes.

7ª Frase: "Está consumado"

Los discípulos de Jesús no estaban entendiendo su muerte. Era inexplicable que un ser humano tan fuerte y que hablaba de Dios como ninguno estuviese muriendo como un miserable. Algunos estaban escondidos y amedrentados en alguna casa de Jerusalén. Tal vez otros estuviesen a centenares de metros del Calvario contemplando de lejos el escenario de la cruz.

De hecho, ¿quién podría comprender ese espectáculo? Hoy, a distancia de los hechos, es más fácil entender algo, pero en aquella época era casi imposible esa comprensión. Todos lloraban su muerte. Cada lágrima era una gota de dudas.

¿Quién podría imaginar que el Autor de la vida asistiese inconsolable a la muerte de su Hijo? ¿Quién podría entender que por primera vez en la historia un padre viese morir a su hijo y, teniendo poder para hacerlo, no lo rescatase de la muerte? ¿Quién podría aceptar el hecho de que una persona fuerte e inteligentísima muriese como el más frágil de los seres humanos?

El apóstol Pablo tenía razón al escribir que la palabra de la cruz es locura para los que no la comprenden[75]. Jesús planeó su vida y su muerte. Murió en el tiempo cierto y de la manera como había trazado. Ya había corrido riesgo de vida antes, pero esquivó esos riesgos con increíble destreza. Cuando llegó el momento, dijo simplemente a sus íntimos: "Ha llegado la hora" y se quedó aguardando la escolta.

El maestro de la vida consiguió reunir dos características nobilísimas de la personalidad que son casi irreconciliables, la espontaneidad y una planeación estratégica. Él era una persona muy agradable y, al mismo tiempo, un gran estratega.

Generalmente las personas excesivamente espontáneas no tienen metas, espíritu emprendedor, ni piensan en el futuro. Por otro lado, las personas que planean demasiado sus vidas, son enyesadas, llenas de manías y difícilmente se relajan. ¿En qué polo estamos nosotros?

Cuando el vinagre quemó su boca y Él rechinó los dientes de dolor, sabía que ya estaba en los segundos finales de su martirio. Su corazón fallaba y estaba arrítmico. Sabía que había completado el abanico indescriptible de sus dolores. Tenía plena certeza de que había sido aprobado en el tribunal del más importante juez de todo el universo. Mientras su boca ardía, un alivio se producía en su alma.

Entonces, inesperadamente, lanzó un grito de victoria. Dijo: "¡Está consumado!"[76]. Había vencido en la mayor maratón de todos los tiempos. Ya era hora de descansar.

8ª frase: "Padre, en tus manos entrego mi espíritu..."

Al decir que todo estaba consumado, proclama en alta voz: "Padre, en tus manos entrego mi espíritu"[77]. Por favor, preste atención a las avenidas de esa frase y a las posibilidades que ella nos abre.

Jesús aquí no clama a "Dios", sino al "Padre". Después de haber pasado por el más severo juzgamiento, Dios asume nuevamente la posición de Padre y Él asume la posición de Hijo. Es a su Padre a quien Él entrega su espíritu y no a Dios.

¡Qué impresionante juego de palabras! ¡En ese juego, el maestro revela su proyecto eterno y algunos fenómenos que estaban entre bastidores de la cruz! Es imposible no quedar admirados con la coherencia de sus palabras y con el encaje perfecto de sus secretos.

Al comienzo de su crucifixión, el Padre y su Hijo entonaron la más profunda melodía de aflicción. Sufrieron uno por el otro. En la segunda mitad, el Padre, a petición consciente del Hijo, se torna su Dios y lo juzga a favor de la humanidad. Dios lo desampara. El hombre Jesús soporta la mayor cadena de sufrimientos.

Después de cumplir su plan, el Hijo está apto para realizar dos grandes tareas. Primera, ser el gran abogado de la humanidad, que es tan bella, pero coronada de fallas, por eso tendrá necesidad de Él como un grande y actuante abogado[78]. Segunda, regresar a la relación íntima con su Padre. El único desamparo que hubo entre ellos en toda la historia del tiempo quedó resuelto. Se amaron todavía más. Construyeron juntos el mayor edificio del amor y de la inteligencia.

Al entregar su espíritu al Padre, abrió la más importante ventana del universo, más importante que los agujeros negros: la ventana para la eternidad. Reveló que el espíritu no es lo mismo que el cerebro, que poseemos algo más allá de los límites del mundo físico, del metabolismo cerebral, que llamamos espíritu o alma.

La última frontera de la ciencia

La última frase de Jesús revela los mayores enigmas de la ciencia. La última frontera de la ciencia es saber exactamente quiénes somos. Es descubrir los límites y las relaciones entre el alma y el cerebro.

¿Cuál es la naturaleza de la soledad? ¿De qué están constituidas la alegría y la ansiedad? ¿Cuál es el tejido que confecciona los pensamientos? ¿Son las ideas producto de reacciones químicas? Y la conciencia humana, ¿es fruto del espectáculo del metabolismo cerebral o posee un campo de energía metafísico, que está más allá del mundo físico? Esas indagaciones revelan los mayores secretos de la ciencia.

No piense, como ya comenté, que los grandes secretos están en el espacio. Están dentro de usted, en el mundo de las ideas y de los pensamientos que irrumpen a cada momento con un show único en el palco de la mente. Somos inexplicables en el estado actual de la ciencia. Lo que tenemos es una enormidad de teorías inconexas en siquiatría, sicología, neurociencias que generan un montón de dudas e hipótesis.

En el mundo científico existe una corriente humanista de investigadores que cree que el alma no es el cerebro, sino que tenemos un campo de energía emocional e intelectual que no es solamente decurrente del metabolismo cerebral. Muchos sicólogos, siquiatras y filósofos hacen parte de esa corriente.

Hay otra corriente, llamada organicista, que cree que el alma y el espíritu humanos son meramente químicos. Según ella, pensar y emocionarse son apenas fruto de reacciones químicas cerebrales. Muchos respetados organicistas estudian con ahínco la fisiología, la anatomía, el metabolismo y las sinapsis cerebrales (espacio de comunicación entre las neuronas).

Hay una tercera corriente, la mayor de todas, que se sitúa en la mitad del camino. No saben posicionarse y decir si el alma es química o no. No piensan en ese asunto. Ejercen sus funciones como sicólogos, siquiatras, sociólogos, educadores, sin entrar en esa cosecha de ideas filosóficas.

Los humanistas critican la actuación exclusiva de las medicinas sicotrópicas. Y los organicistas creen que solamente ellas resuelven las enfermedades síquicas, pues tales disturbios, según ellos, son decurrentes de errores metabólicos.

No hace mucho tiempo, un paciente que estaba con depresión, me dijo que su siquiatra anterior le impidió ir a un sicólogo para hacer sicoterapia, pues afirmó que el problema de Él sólo se podría resolver con medicinas.

Muchos siquiatras organicistas usan determinadas hipótesis teóricas como si fuesen verdades absolutas. Ni siquiera los científicos que las elaboran afirman que son verdaderas. Pero sus discípulos, desconociendo los límites de una teoría, las usan como si fuesen verdades irrefutables. Por eso dicen que el diálogo es una pérdida de tiempo, pues solamente medicinas antidepresivas o tranquilizantes resolverán la depresión, el síndrome de pánico, el trastorno obsesivo.

En la ciencia, los peores enemigos de una teoría siempre fueron sus discípulos radicales. Por usarla sin criterios, la abrazan como verdad absoluta y producen opositores igualmente radicales. Ese radicalismo también se presenta entre los humanistas. Los peores enemigos de Freud o de Marx no fueron los enemigos de fuera, sino los propios freudianos y marxistas radicales. Tomaron las teorías sicoanalítica y socialista como verdades incuestionables. Así se volvieron incapaces de abrir el abanico del pensamiento, criticarla y corregir sus rutas. En el caso de la teoría de Marx, ella acabó perdiendo crédito y eficiencia, generó diversos problemas económicos y sociales en su aplicación y conquistó innumerables opositores.

Si usted es radical en su familia, en su trabajo y en la manera de ver el mundo, sepa que, además de estar enyesando su capacidad de pensar, está también conquistando una serie de personas que se opondrán a usted, aunque sea silenciosamente. El radicalismo es una trampa contra nosotros mismos.

Los fariseos fueron radicales. Creían que estaban dando culto a Dios cuando mataron a Jesús. Jesús fue el más antirradical de los seres humanos. No quería discípulos que lo siguiesen ciegamente, sino hombres que fuesen especialistas en el arte de pensar, de amar y de incluir. El discurso de Jesús sobre el amor, el perdón, la compasión, la paciencia y la solidaridad es la más excelente vacuna contra el radicalismo. Si esas características fueran trabajadas, al menos en mínima parte, en los científicos, daríamos un salto sin precedentes en la ciencia.

Los humanistas radicales tienden a caer, a veces, en el misticismo, superenfatizan fenómenos que sólo ellos logran percibir y, por consiguiente, se pierden en medio de ideas vagas. Y los neurocientíficos radicales tienden a caer en el cientificismo, superenfatizan fenómenos controlados y observables y, por consiguiente, enyesan su inteligencia y no comprenden el terreno ilógico de la emoción humana. Los humanistas quieren analizar al ser humano dentro del mundo y los neurocientíficos quieren aprisionarlo dentro de un laboratorio*. Ambos necesitan colirios en los ojos.

Los límites y las relaciones entre el alma y el cerebro

Todas esas corrientes de pensamientos existen porque somos una especie compleja. De hecho, la última frontera de la ciencia es conocer nuestros orígenes. Descubrimos billones de galaxias, pero no sabemos quiénes somos. Desconocemos cuál es la naturaleza que nos teje como seres que piensan y sienten.

Al fin de cuentas, ¿el alma es química o no? ¿Cuál corriente de pensamiento es correcta, la de los pensadores humanistas o la de los neurocientíficos organicistas?

Ambas poseen verdades. Escribí, durante años, una importante y larga tesis que trataba de los diversos fenómenos que ocurren durante el proceso de construcción de pensamientos y demuestran que el alma no es química. A pesar de que el alma no es química, ella mantiene una relación tan intensa e interactiva con el cerebro que parece que es química. Tal vez algún día la publique.

El *homo sapiens* es una especie más compleja de lo que imaginamos. Pensar, sentir soledad, sentirse alegre, reconfortado, amar son fenómenos que van más allá de los límites de la lógica del metabolismo cerebral. Por esa línea de raciocinio, los pensadores humanistas tie-

---

* DURANT, Will. *História da Filosofia*. Editora Nova Frontera. Río de Janeiro, 1996.

nen razón. Pero si tenemos en cuenta que el alma cohabita, coexiste e interfiere con el cerebro de manera tan estrecha, veremos que los neurocientíficos tienen razón, pues un error metabólico (en el metabolismo de la serotonina, por ejemplo) puede causar o desencadenar dolencias síquicas.

Al estudiar el proceso de construcción de pensamientos, percibí claramente que la lógica del cerebro no explica completamente el mundo ilógico de las ideas y de las emociones. Por eso, concluí, después de millares de páginas escritas, que de hecho cada ser humano es un baúl de secretos incalculables. Tenemos un campo de energía síquica más complejo que todos los fenómenos del universo.

La construcción de un simple sentimiento de culpa o humor triste posee una complejidad inimaginable, capaz de ir mucho más allá de la lógica del metabolismo cerebral.

La próxima vez que usted esté ansioso o angustiado, admire esos sentimientos. No tenga miedo de sus dolores emocionales. Sepa que son fruto de reacciones de indecible sofisticación y belleza.

En esa tesis demuestro que la linealidad y la lógica de los principios físico-químicos son completamente restringidas para producir el mundo multifocal de los pensamientos. Sin embargo, el mundo físico-químico cerebral puede interferir en esa producción y alterarla por completo, principalmente por interferir en el proceso de apertura o cerramiento de los campos de la memoria.

Dos ejemplos: El efecto de la cocaína y de los tranquilizantes

Cuando una persona usa cocaína, después de algunos segundos la droga trasporta energía física hasta el campo de energía síquica que cohabita y coexiste con el cerebro. Esto generará una estimulación de la emoción que cerrará algunas de las ventanas de la memoria e impedirá que el usuario tenga raciocinio semejante al que tendría sin el efecto de la droga. Además de eso, la emoción estimulada por la cocaína acelera la lectura de determinadas áreas de la memoria, la persona comienza a pensar rápidamente y a crear fantasías de persecución. Por eso, es muy común que un usuario que está bajo el efecto de la cocaína juzgue que la policía o alguna otra persona lo está persiguiendo.

¿Qué mecanismos tienen lugar cuando una persona usa una medicina tranquilizante para combatir la ansiedad? La medicina transporta energía física en determinados sitios cerebrales al campo de energía síquica, tranquiliza la emoción del paciente, desacelera el proceso de lectura de la memoria y disminuye la velocidad de la construcción de pensamientos. Por consiguiente, disminuye la ansiedad, aunque no resuelva sus causas. Para resolverlas, el paciente necesita aprender a proteger sus emociones delante de los focos de estrés, reeditar las zonas de tensión de la memoria, administrar sus pensamientos y ser el autor de los principales capítulos de su historia existencial.

El soporte científico de la última y enigmática frase de Cristo

Los científicos, por no comprender la relación estrecha, íntima y multidireccional del alma con el cerebro, han vivido millares de engaños y dudas sobre quiénes somos. Nunca piense que usted no es una caja de secretos.

Si usted no logró entender lo que escribí, no se desanime. Somos, de hecho, complejos. Deseo, por lo menos, que usted nunca pierda su autoestima, que comprenda que usted no es un simple ser humano, sino un ser humano inexplicable.

Al estudiar la mente humana, comprendí que la construcción de la inteligencia y la transformación de la energía síquica tienen fenómenos y variables tan complejas que no es posible explicarlas sin una causalidad descendente, o sea, sin la existencia de un gran Creador. El mundo de las ideas y de las emociones tiene fenómenos ilógicos que no se explican por los fenómenos lógicos del mundo físico.

Todo ese abordaje que he hecho en estos últimos tópicos fue comentado para tratar de dar soporte "científico" a la última frase de Jesucristo. En esa frase Él hace la separación entre el espíritu y la materia. Entre el alma y el cerebro. Cuando Él entregó su espíritu al Padre, creía plenamente que su cuerpo iría a un túmulo de piedra, pero su espíritu regresaría al Autor de la vida.

La mayor duda de todos los tiempos de la humanidad es si existe o no vida después de la muerte. La fe cree que existe, la ciencia se calla porque no tiene respuesta. Sin embargo, en la teoría que desarrollé, produje, tal vez por primera vez, una luz para la ciencia.

Si las evidencias científicas dicen que la construcción de pensamientos va más allá de los límites de la lógica del cerebro, entonces hay un campo de energía metafísico que cohabita, coexiste e interfiere con el cerebro, pero no es el cerebro. Por lo tanto, cuando el cerebro muere y se descompone, ese campo de energía, que llamamos alma y que incluye el espíritu humano, será preservado del caos de la muerte. Si eso es verdad, esa es la mejor noticia científica de los últimos siglos.

Jesús no tenía necesidad de esas informaciones. Él decía que poseía la vida eterna. Creía, sin margen de duda, que superaría la muerte. Había sufrido mucho, permanecido lejos de su casa y de su Padre, pero ahora retornaba a Él.

Respetado y amado en todo el mundo

Hay innumerables facultades de teología en el mundo que estudian a Jesucristo, pertenecientes a diversas religiones: católica, protestante y otras. Respeto todas esas facultades y sus religiones. A ellas les corresponde llevar a los alumnos a conocer a Jesucristo y sus enseñanzas.

Algunos de esos alumnos hacen la maestría y el doctorado. Pero tenemos que confesar que entre más hablamos de Jesucristo y penetramos en lo recóndito de sus pensamientos y en las implicaciones complejas de sus palabras, más lo admiramos y más convencidos quedamos de que lo conocemos poquísimo. El gran peligro es que pensemos que somos técnicos en el conocimiento de Dios como se consideraban los fariseos.

Felizmente los libros de esta colección han sido usados por personas de todas las religiones. No tengo mérito como escritor, pues el personaje que describo en estos libros es fascinante. Por eso, ellos han sido adoptados en diversas facultades de sicología, derecho, pedagogía, medicina y en escuelas de enseñanza media y fundamental. También han sido adoptados en las facultades de teología, incluso utilizados en tesis de maestría y doctorado. De hecho la teología necesita estudiar la sicología de la humanidad de Jesucristo para comprender más de cerca la magnitud de su personalidad.

Miles de millones de personas de millares de religiones se dicen cristianas. La otra parte de las personas que no lo siguen, tales como los confucionistas, los budistas, los islamitas y los hindúes, lo admiran mucho. Jesucristo es universalmente amado y admirado.

Él se sacrificó por toda la humanidad y no para un grupo de religiones específicas. Sus enseñanzas, su inteligencia suprema, su sabiduría, su causa y su plan respetan la cultura de las personas y son capaces de penetrar en el territorio de la emoción y del espíritu de cada una de ellas y hacerlas más felices, estables, contemplativas, inteligentes.

Lo que significa retornar al Padre

Su última frase esconde un gran enigma. De los millares de frases que Él profirió durante su vida, esa es sin duda una de las más enigmáticas. ¿Qué significa entregar su espíritu al Padre? ¿Qué retorno es ese?

Necesitamos atrasar nuestro reloj unas veinte horas antes de su muerte y comprender las palabras contenidas en su más larga y compleja oración[79]. Él terminó su última cena y, saliendo de la presencia de sus discípulos, hizo una oración sorprendente. En ella declara sin rodeos, por primera vez, su identidad. Los discípulos quedaron confundidos, pues el maestro nunca había orado de aquella manera.

Jesús eleva sus ojos al cielo y comienza su oración. Mirar al cielo también indica que el maestro estaba mirando, no hacia las estrellas, sino en otra dimensión, una dimensión fuera de los límites del tiempo y del espacio, más allá de los fenómenos físicos.

Él comienza a orar y a asumir abiertamente que no sólo era un ser humano, sino también el hijo de Dios. Declara que era eterno, habitaba en otro mundo y poseía una naturaleza ilimitada, sin las restricciones físicas de su cuerpo. Revela algo perturbador. A pesar de tener poco más de treinta y tres años, dijo: "Glorifícame, Padre, junto a ti, con la gloria que tenía contigo antes de que existiese el mundo"[80].

La palabra griega usada en el texto para mundo significa "cosmos". Cristo declaró que antes de que el mundo existiese, el "cosmos" físico, Él estaba junto al Padre en la eternidad pasada.

Hay billones de galaxias en el universo, pero antes de que existiese el primer átomo y la primera onda electromagnética, Él estaba allí. Dijo que su historia iba más allá de los parámetros del espacio y del tiempo contenidos en la teoría de la relatividad de Einstein.

Nadie puede decir esas palabras, a no ser que esté delirando. Sin embargo, Él no deliraba, era sabio, lúcido, coherente y sereno en todo lo que hacía. ¿Cómo no sorprendernos con ese hombre?

Sus palabras eran tan inusitadas que Él se situó inclusive por encima del pensamiento filosófico de la búsqueda del "principio existencial". La filosofía de la búsqueda del principio existencial es el área del conocimiento que busca los orígenes de la vida y del universo.

¿Cómo puede alguien afirmar que ya existía al principio del principio? ¿Cómo puede declarar que estaba vivo al inicio antes del inicio, en la etapa del "Big Bang" o antes de cualquier principio existencial? ¡Jesús afirmó con la mayor seguridad lo que ningún ser humano tendría valor ni habilidad para decirlo de sí mismo!

El tiempo es el "señor" de la duda. El mañana no pertenece a los mortales. No sabemos si dentro de una hora estaremos vivos o no. Sin embargo, Cristo fue tan atrevido que insinuó que estaba más allá de los límites del tiempo. El pasado, el presente y el futuro no lo limitaban. Las respuestas del maestro eran breves, pero sus implicaciones dejan conturbado a cualquier pensador...

El maestro de la vida sigue siendo, en varios aspectos, un gran misterio. ¿Cómo puede un hombre tener, a pocas horas de su muerte, un deseo tan ardiente de rescatar un estado que tenía antes del "cosmos" físico y que era indestructible, sin restricciones, imperfecciones, angustias, dolores? ¿Cómo puede alguien que está muriendo en una cruz declarar, en su último minuto de vida, que entrega su espíritu a su Padre, insinuando que el caos de la muerte no lo destruirá para siempre?

Es difícil no investigarlo y no trabar en algunos momentos nuestra inteligencia. Él murió en una cruz hace dos mil años, pero todavía es el más hablado y el más noticiado de los seres.

Después de haber vivido y pisado como un ser humano en el árido suelo de esta existencia y de haber pasado seis largas horas en la cruz y de sufrir agonías inexpresables, Él retornó a su casa.

La vida quedó más agradable y suave después de su venida. La humanidad conquistó nuevos rumbos, pues una revolución silenciosa ha ocurrido en el alma y en el espíritu de millones de personas... Todavía hoy no pueden contener sus lágrimas cuando navegan por su historia.

CAPÍTULO 12

Murió en la cruz,
pero permaneció vivo
en el corazón
de la humanidad

Un grito de victoria: muere el hombre más espectacular de la historia

Cuando se entregó a su Padre, Jesús soltó un grito estentóreo y sin palabra definida. Los textos dicen que fue un grito inexpresable[81]. Un hombre que está muriendo no tiene fuerzas para gritar. Pero su misión era tan compleja y exigía tanto de Él, que al cumplirla dio un grito de victoria.

Venció la ansiedad como ningún sicólogo. Venció la depresión como ningún siquiatra. Venció la impaciencia como ningún filósofo. Venció los desafíos de la vida como ningún empresario. Venció el orgullo y la autosuficiencia como ningún educador. Paseó por las grandes olas de la emoción como quien anda en suelo firme.

Venció el miedo de la muerte, el vejamen público, la inhibición social, la incomprensión del mundo, el irrespeto de los religiosos, la arrogancia de los políticos, el terror nocturno, las frustraciones. Fue el hombre más tranquilo que ha pasado por esta tierra. Fue el más resuelto, el mayor poeta de la emoción, el mayor maestro de la sabiduría y el más refinado maestro de la vida. La sinfonía que tocó y las lecciones que nos dio no tienen precedente en la historia.

No sólo fue grande a los ojos de aquellos que hasta hoy no tuvieron la oportunidad de estudiarlo, o de las personas, como los fariseos, que fueron controladas por sus paradigmas y conceptos rígidos.

Después de haber vencido todo, no había otra cosa para hacer que conmemorar. Conmemoró muriendo. Durmió en paz.

Cuando falleció, ocurrieron algunos fenómenos físicos. El centurión, el jefe de la guardia que lo crucificó, al ver su final, se dobló a sus pies. Confesó: "Verdaderamente este hombre era hijo de Dios"[82]. Fue la primera vez en la historia que un soldado de alta graduación se doblaba a los pies de un miserable crucificado.

Él había observado todos los comportamientos de Jesús y guardaba todo en su memoria. Cuando lo vio morir consciente, diciendo las palabras que dijo, abrió su corazón y vio algo extraordinario. Vio un tesoro escondido detrás de la cortina del cuerpo magro y abatido de Cristo. ¿Cómo puede un cuerpo flaco y dilacerado inspirar a hombres fuertes?

Jesús descansó tranquilo, sin tener ninguna deuda con los demás y sin llevarse ninguna deuda de los demás. Tal vez haya sido la primera persona en la historia que haya cerrado los ojos a la existencia sin cicatrices en su memoria. ¡Nunca alguien fue tan libre en los terrenos conscientes e inconscientes de su personalidad! El mundo conspiraba contra Él, pero no tuvo enemigos en su alma.

La historia se dividió

María, su madre, lloraba compulsivamente. Juan trataba de consolarla, pero Él mismo estaba inconsolable. La tomó en sus brazos y la condujo por el camino, pero estaba sin rumbo, pues había perdido su brújula.

María Magdalena no quería irse. Parecía que el cuerpo sin vida de Jesús le perteneciera. Colocaba el rostro sobre sus pies y se plantó en el Calvario. La multitud quedó paralizada, demoró en retirarse. Las pocas flores de Jerusalén perdieron su brillo, las avenidas se entristecieron y las casas quedaron inconfortables para los heridos del alma.

Él murió y descansó de sus dolores. La muerte le dio tregua de sus aflicciones. Antes de ser preso, dijo en el jardín de Getsemaní: "Mi alma está angustiada hasta la muerte"[83]. El jardinero de la vida descansaba...

Necesitamos reflexionar sobre los conflictos de la humanidad. Ella está más culta, pero más ansiosa e infeliz. Tiene más tecnología, pero menos sabiduría y menos habilidad para lidiar con pérdidas y frustraciones. Estamos enfermándonos colectivamente y sin referencial.

La manera como Jesucristo administró sus pensamientos, protegió su emoción y lidió con los complejos papeles de la historia es capaz de dejar no solamente asombrado a cualquier investigador de la sicología, sino también de ayudarnos a prevenir las más insidiosas dolencias síquicas de las sociedades modernas.

La sicología y la siquiatría tienen mucho que aprender de la personalidad del hombre Jesús. Él es la mayor enciclopedia de conocimientos sobre las funciones más importantes de la inteligencia y de la salud de la emoción. Lo que Él vivió y habló en los momentos finales de su vida no tiene precedente histórico. Representa el más bello pasaje de la literatura mundial.

Un día moriremos también. ¿Quién se acordará de usted y de mí? ¿Qué semillas plantamos para que puedan germinar en los que se quedan? Algunos son olvidados para siempre porque vivieron, pero no sembraron. Otros se vuelven memorables. Se van, pero sus gestos, su cariño, su tolerancia permanecen vivos en lo recóndito de la memoria de los que se quedan.

El gran amigo de la mansedumbre fue tan formidable que partió por la mitad la violenta historia de la humanidad. Jesús murió, pero lo que Él fue y lo que hizo lo convirtieron sencillamente en un maestro inolvidable.

Al morir, parece haber sido el más derrotado de los seres humanos. Fue abandonado por sus amigos y destruido por sus enemigos. Pero su historia y su muerte fueron tan magníficas que Él simplemente dividió la historia. Ésta es contada a.C. (antes de Cristo) y d.C. (después de Cristo).

Su tranquilidad y generosidad se transformaron en gotas de rocío que humedecieron el suelo seco de nuestros sentimientos. El mundo nunca más fue el mismo después de que el maestro del amor pasó por aquí. Ya hace tantos siglos, pero parece que fue ayer.

La vida, un espectáculo imperdible

Cuando un sembrador sepulta una semilla, se entriste-ce por algunos momentos y se alegra para la posteri-dad. Se entristece, pues nunca más la vuelve a ver. Se alegra, pues ella renace y se multiplica en millares de nuevas semillas.

El maestro del amor sembró las más bellas semillas en el árido suelo del alma y del espíritu humano. Las cul-tivó con sus aflicciones y las regó con su amor. Fue el primer sembrador que dio la vida por sus semillas. Por fin, ellas germinaron y transformaron la emoción y el arte de pensar en un jardín con las más bellas flores.

La vida se hizo más alegre y más suave después de que Él nos enseñó a vivirla. Él fue famoso y lo siguieron de manera apasionante, pero lo persiguieron también como al más vil de todos. Supo ser alegre y supo sufrir. Hizo de la vida humana una fuente de inspiración. Escribió recitales con su alegría y poemas con su dolor.

Tuvo el mayor sueño y la mayor meta de todos los tiem-pos. Tal vez fuese la única persona que lograba levan-tar los ojos y ver los campos blanqueando cuando sólo había piedras y arena frente a Él. Él nos enseñó que es preciso tener metas. Nos mostró que podemos vencer las cadenas del miedo y las amarras de nuestras difi-cultades. Puso colirios en nuestros ojos y nos reveló que ningún desierto es tan árido y tan extenso que no pue-da ser atravesado...

Usó la energía de cada célula para vivir intensamente cada momento y alcanzar su gran objetivo, hasta que ella se agotase. Su historia fue marcada por grandes turbulencias, pero Él consideró un privilegio ser un ser humano. La cruz fue la expresión solemne de su amor por la vida. Nos faltan recursos literarios para expresar su grandeza.

Fue un maestro de la vida. Transformó las dificultades y los problemas en herramientas para afinar los instrumentos de la inteligencia y de la emoción. Dirigió la orquesta sinfónica de la sabiduría en una tierra donde se cantaba la música del prejuicio y de la rigidez.

Tenía todos los motivos del mundo para desistir y para desanimarse. Sin embargo, nunca desistió de la vida ni dejó de encantarse con las personas. La vida que latía en los niños, en los adultos y en los ancianos era espléndida para Él. Siempre supo que no somos gigantes ni héroes, pero que aún así somos superamados.

Nunca olvide que, independientemente de su religión o filosofía de vida, la historia de Jesucristo revela la más bella historia de amor por usted. Usted y yo podemos tener todos los defectos del mundo, pero aún así somos especiales. Tan especiales que las dos personas más inteligentes y poderosas del universo, el Autor de la vida y su Hijo, cometieron "locuras" de amor por nosotros.

Ellos son apasionados por la humanidad. Sus actitudes no caben en los compendios de filosofía, derecho, sicología y sociología. Van más allá de los límites de nuestra comprensión.

¡Nunca valieron tanto nuestras vidas! ¡Nunca nuestras vidas fueron rescatadas por un precio tan alto! ¡Cada ser humano fue considerado una obra de arte única, inigualable, exclusiva, singular, excepcional!

La historia de Jesucristo es el mayor laboratorio de autoestima para la humanidad. ¡No podemos dejar de concluir que vale la pena vivir la vida! Aunque tengamos dificultades, lloremos, seamos derrotados, quedemos decepcionados con nosotros o con el mundo, seamos incomprendidos y encontremos obstáculos gigantescos delante de nosotros...

Por eso, deseo que usted nunca desista de caminar. Camine, no tenga miedo de tropezar. Tropiece, no tenga miedo de herirse. Y si se hiere, tenga valor para corregir algunas rutas de su vida, pero no piense en retroceder. Para no retroceder, nunca deje de amar el espectáculo de la vida, porque al amarlo, aunque el mundo se desplome sobre usted, usted jamás desistirá de caminar...

La vida es sencillamente un espectáculo que no se puede perder, una aventura indescriptible...

Opiniones
de algunos lectores

"Su libro ANÁLISIS DE LA INTELIGENCIA DE CRISTO – vol. 1 y 2– es fantástico y está lejos de ser un libro de autoayuda, más bien es un libro de concientización para nuestra real estructura ontológica". (B.A.C.).

"Estoy encantada con la obra ANÁLISIS DE LA INTELIGENCIA DE CRISTO – vol. 1 y 2–. De hecho nunca se oye hablar sobre la profundidad del ser del Maestro Jesús" (N.L.).

"Al leer su obra ANÁLISIS DE LA INTELIGENCIA DE CRISTO –vol. 1 y 2–, sentí encender de nuevo en mí la pasión por Jesucristo. Agradezco por mí y por millares de personas que leyeron sus libros y sintieron que sus vidas cambiaban" (I.D).

"Leí la colección ANÁLISIS DE LA INTELIGENCIA DE CRISTO y la A PIOR PRISÃO DO MUNDO y me parecieron fantásticos. Hasta puedo decir que es una obra rara. Después de leer los libros comencé inmediatamente a aplicar, a través de ejercicio práctico, algunas de sus afirmaciones, que están facilitando significativamente mi manera de encarar la vida en todos los campos, del profesional al personal" (G.P.Z.).

"Felicitaciones por su obra. Usted es uno de esos raros astros que de vez en cuando iluminan el caos literario que envuelve los asuntos de Dios..." (R.F.).

"Soy médico y desde mis 15 años leo la Biblia, más que cualquier otro asunto en particular, pero con sus libros me encontré con un punto de vista sobre la mente de Jesús que jamás había percibido y estoy perplejo: ¡Jesús fue y es mucho, mucho más impresionante de lo que yo podría imaginar!" (H.C.S.).

Nota de la edición brasileña

La Editora Academia de Inteligência agradece a todos
los lectores que, como poetas de la vida,
han difundido nuestros libros a los amigos, parientes,
dentro de su empresa y, principalmente en las
escuelas del país y hasta en librerías lejanas.
Nosotros, en la editora, autorizamos y animamos
a los lectores a dar conferencias en las escuelas
o en grupos sociales usando el contenido de estos
libros, con tal que sea citada la fuente.
Agradecemos a todos los que nos han enviado
mensajes electrónicos para emitir sus opiniones
y decir que sus vidas ganaron nuevo significado
a partir de la lectura de estos libros.

Editora Academica de Inteligência
Contactos:
E-mail:*academiaint@mdbrasil.com.br*
Telefax: (55-17) 3342-4844
www.academiadeinteligencia.com.br
Contactos con el Autor:
E-mail: *jcury@mdbrasil.com.br*

Notas
Bibliográficas

1. Mateo 1,18.

2. Mateo 4,24

3. Mateo 19,2

4. Mateo 7,28

5. Mateo 16,13

6. Marcos 7,27-28

7. Mateo 13,10

8. Juan 4,14

9. Mateo 22,39

10. Mateo 13,55

11. Marcos 9,31

12. Mateo 24,29

13. Juan 10,39

14. Mateo 8,24

15. Mateo 5,7

16. Juan 13,38

17. Juan 14,19

18. Mateo 9,12

19. Mateo 17,25

20. Mateo 5,5

21. Lucas 9,54

22. Juan 7,37

23. Juan 8,10

24. Mateo 26,31

25. Lucas 23,26

26. Lucas 23,27

27. Lucas 23,28

28. Lucas 23,31

29. Lucas 22,62

30. Juan 19,15

31. Marcos 15,25

32. Mateo 27,34

33. Lucas 22,44

34. Juan 19,19-20

35. Juan 19,22

36. Juan 8,5

37. Juan 19,26

38. Lucas 19,5

39. 1 Corintios 1,12

40. Marcos 15,25

41. Lucas 23,34

42. Mateo 11,27

43. Lucas 10,21

44. Lucas 22,29

45. Marcos 8,27

46. Mateo 22,42

47. Mateo 3,17

48. Juan 1,17-18

49. Apocalipsis 22,13

50. 1 Corintios 13, 2 y 7

51. Juan 3,16

52. Mateo 27,40

53. Lucas 23,42

54. Juan 4,1-27

55. Lucas 23,43

56. Lucas 1,46-55

57. Lucas 2,19

58. Lucas 2,48

59. Juan 19,26

60. Juan 2,4 y 19,26

61. Juan 19,27

62. 3 Juan 1,15

63. Romanos 3,23

64. Juan 1,29

65. 2 Pedro 1,4

66. Juan 12,1-8

67. Juan 6,48-51

68. Mateo 27,46

69. Efesios 3,19

70. Isaías 53,2-5

71. Juan 19,28

72. Mateo 26,38

73. Mateo 26,37

74. Juan 19,29

75. 1 Corintios 1,18

76. Juan 19,30

77. Lucas 23,46

78. 1 Juan 2,1

79. Juan 17

80. Juan 17,5

81. Mateo 27,50

82. Mateo 27,54;
Marcos 15,39;
Lucas 23,47

83. Mateo 26,38

Impreso en los Talleres de Paulinas
Marzo de 2007
www.paulinas.org.co
Bogotá, D.C.· Colombia